# No more sex in the city

HEPHZIBAH ANDERSON

# *No more sex in the city*

Traduit de l'anglais
par Cécile Dutheil de la Rochère

Titre original :
*Chastened, No More Sex in the City.*


7-13 boulevard Paul-Émile-Victor, Ile de la Jatte
92521 Neuilly-sur-Seine.

*Pour ma mère,*
*qui ferait sans doute mieux de ne pas*
*aller plus loin dans sa lecture,*
*et pour ma sœur,*
*qui, malgré elle, est au courant de tout.*

*Nous ne le faisions pas à la lumière, et pas non plus dans l'obscurité.*

*Nous ne le faisions pas dans l'herbe d'été fraîchement coupée, ni dans les tas de feuilles d'automne, ni dans la neige où le clair de lune jetait nos ombres à terre.*

Stuart Dybek, *Nous ne le faisions pas*

# *Introduction*

Miranda : – Je ne peux pas dîner avec toi, je ne te connais pas !
Serveur : – Mais on a couché ensemble !
Miranda : – Ça, c'est autre chose.

*Sex and the City*

Imaginez que vous décidiez d'abandonner le sexe pour vivre une année de chasteté… Vous n'allez pas vous précipiter pour le crier sur tous les toits. Dans une société supersexuée qui cherche à vendre du shampooing en promettant des orgasmes et fabrique des kits de pole dance pour les enfants, cette décision est un tabou inimaginable. Quant à moi, jamais je n'ai envisagé de tenir un blog pour raconter mon aventure, et le livre que vous avez entre les mains est le résultat d'une idée qui m'est venue vers la fin de cette fameuse année. Au début, je n'en ai soufflé mot à aucun de mes amis. Et quand, timidement, j'y ai fait quelques allusions, j'ai découvert que les autres ne le voyaient pas du tout du même œil que moi.

La plupart se croyaient autorisés à me poser toutes sortes de questions qu'en temps normal ils n'auraient jamais osé aborder. « Du coup, qu'est-ce que tu fais ? » me demanda une fille en louchant sur moi avec un air incrédule. « Tu te masturbes ? C'est permis ? » m'interrogea un ami plus âgé en se penchant vers moi avec un sourire alcoolisé. « C'est à cause de moi ? » lança un type qui m'avait proposé de monter chez lui une fois (j'avais refusé, mais il devait me confondre avec une autre). Enfin, et ce fut la question qui revenait le plus souvent : Qu'est-ce que j'avais prévu pour fêter la fin de cette année de chasteté ? Comme me le dit un jour un ex : « Faut bien qu'il y ait une sorte de récompense, non ? » Et, si ça devait aboutir à une grande fiesta, personne ne voulait la rater.

La question que je n'ai presque jamais entendue était la seule que j'attendais : pourquoi ? Entre-temps j'avais compris que beaucoup de gens s'étaient trouvés dans la même situation à un moment ou un autre de leur vie. Le sexe, et la quête du sexe sont devenus un sport d'une telle violence, avec des règles si confuses et des repères si insaisissables qu'il est difficile de ne pas se demander de temps en temps si le jeu en vaut la chandelle. Être sexy : ce concept envahit tout, de la politique à la danse de salon. C'est d'ailleurs là que le bât blesse. Car nous sommes moins dominés par le sexe que par une parodie de sexe, une version affadie et retouchée, presque neutre, qui a de moins en moins de rapports avec la chose même.

Voilà le genre de réflexions qui me venaient sporadiquement à l'esprit, mais jamais je n'aurais imaginé qu'un jour je prendrais la décision radicale d'éliminer le sexe de ma vie. Il aura fallu un heureux hasard, une liaison torride et un incident fortuit pour que je comprenne que le style de relations qui aurait dû me paraître naturel, à moi, jeune femme occidentale de la génération postféministe, ne me convenait pas. Pour vous expliquer tout ça, je suis obligée de remonter un peu dans le temps jusqu'à un bel après-midi ensoleillé à New York.

Tout d'abord, j'aimerais préciser qu'il existe des milliers d'activités n'impliquant aucun rapport sexuel. Un être humain ne peut survivre plus de trois jours privé d'eau. En buvant, mais sans manger, il peut tenir jusqu'à trois semaines. On peut se passer de maison, de chauffage, de la lumière du soleil. La paix et l'amour apportent un peu de douceur dans un monde de brutes. S'il y a bien une chose qui est loin d'être essentielle, c'est le sexe, malgré ce que professent les médias à longueur de journée. Il est tout à fait envisageable de mener une existence saine et heureuse sans s'envoyer en l'air ni coucher à droite et à gauche. Certaines personnes vivent des dizaines d'années sans folâtrer. D'autres une vie entière.

Si les oiseaux, les abeilles et les pingouins y consacrent une grande partie de leur temps, les religieuses, les mystiques et les athlètes en période d'entraînement intensif s'abstiennent, et ils ne sont pas les seuls. La reine Élisabeth Ire avait été baptisée la « Reine vierge », et ce titre n'avait rien de métaphorique, l'histoire nous le certifie. Gandhi, lui, a choisi l'abstinence à l'âge de trente-six ans alors qu'il était toujours marié. (L'histoire ne nous dit pas ce qu'en a pensé son épouse, ni de ce choix, ni de sa décision, à la fin de sa vie, d'éprouver sa détermination en partageant son lit avec une ronde de jeunes filles nubiles.) Les Shakers sont allés jusqu'à fonder leur religion autour de l'idée de chasteté. Dernier exemple : interviewée la veille de ses cent cinq ans en octobre 2008, Clara Meadmore, doyenne des Anglaises, expliquait sa longévité par sa virginité : « J'ai toujours pensé que la vie amoureuse causait énormément de problèmes, alors j'ai préféré m'occuper autrement. »

Cela dit, l'amie qui m'a demandé ce que je faisais à la place s'inquiétait sans doute de connaître quelle limite je m'étais imposée. Ce qui implique une autre question : avais-je l'intention de me priver de *tout* plaisir sexuel ? Plusieurs raisons ont motivé ma décision, dont celle-ci : j'avais l'impression que le sexe était devenu une activité complètement anodine, une « partie de tennis », comme me l'avait souligné un petit génie du marketing de trente ans et des poussières alors que je travaillais sur un article consacré au « Sexe sympa ». C'est surtout le ton qu'il avait adopté qui m'a mis la puce à l'oreille : brut de décoffrage et sans une once de jubilation. Il ne cherchait même pas à choquer.

J'ai toujours été nulle en tennis, que ce soit sur gazon ou sur terre battue. Mais, comme je pensais que c'était ma faute, je m'accrochais. Il m'est arrivé de passer à la casserole parce que je jugeais que c'était le moment, sûrement pas parce que ça me ferait du bien. Suivant les circonstances, une partie de moi abdiquait et se résignait à ce qui semblait inévitable. Par exemple, un peu pompette, je me rendais compte qu'il était plus de minuit et que j'étais très loin de chez moi ; parmi les gens qui étaient encore là, il y avait un type avec qui je m'étais retrouvée au lit quelque temps auparavant. « C'était bon », m'avait-il félicitée après, comme si c'était exceptionnel quand on fait l'amour. Voilà, c'était bon… mais, quelle que soit la partie de moi qui abdiquait, ce n'était sûrement pas mon cœur, le problème étant qu'une fois qu'on a appris à séparer sexe et amour il est difficile de les rabibocher.

Le jour où j'ai décidé d'entamer une année de chasteté, je me suis donc imposé un certain nombre de règles, très personnelles. Car les petits jeux qui précèdent l'orgasme ne me posaient aucun problème, mais la dernière étape – ce que nos professeurs patentés appellent en ricanant la pénétration pénienne – me faisait perdre les pédales. À chaque fois, je donnais quelque chose de moi, et j'espérais donc davantage de l'amant en question, le métamorphosant à cet instant précis de veule crapaud en prince charmant.

Tout ça me paraissait illogique, mais peut-être était-ce biologique, psychologique, sociologique ? Souvent, c'est une question de chiffres – ces listes que chacun de nous tient secrètement. Ma liste à moi était plus longue que je ne l'aurais voulu et elle contenait des noms que j'aurais préféré oublier. Je n'en dirai pas plus, car un peu de retenue me semble bienvenue. Personne ne nous juge plus selon notre comportement sexuel, nous dit-on, mais il existe toujours deux poids, deux mesures. Les hommes se sentent peut-être entièrement libérés, mais nous, les femmes, avons encore du mal. Une toute petite partie de moi ne peut s'empêcher de me juger moi-même, et je suis sûre que c'est le cas pour les femmes qui minorent le nombre de leurs amants quand elles répondent aux sondages sur la vie sexuelle. Est-ce parce que nous avons des regrets ? Au moment du bilan, le goût amer laissé par telle ou telle petite galipette nous revient. En parfaites femmes libérées, nous accusons la morale démodée et répressive – mais nous nous en voulons un peu d'avoir succombé. Bref, c'est la pénétration qui définirait ma limite pour mon année de chasteté. (J'avoue qu'exprimée aussi brutalement la chose en question semble de toute façon peu engageante...)

Pour la grande majorité des hétéros, c'est cet instant qui est synonyme de perte de virginité. Je n'avais aucune envie de rejoindre la cohorte de celles qui se déclarent ouvertement « revirginisées », au sens figuré ou au sens propre (opération qui porte le nom de vaginoplastie). Bien au contraire, je voulais à tout prix que l'acte sexuel soit à chaque fois une expérience forte et non plus, comme c'était souvent le cas, la conclusion inévitable et tristounette d'une soirée. Je rêvais de me laisser emporter, de croire au sens de ce moment magique, sans me soucier de savoir quand « il » appellerait ou même s'il appellerait tout court, et sans qu'une impression d'échec survienne parce que cette pensée m'aurait effleurée. Voilà ce dont je rêvais au plus profond de moi. À une époque où il faut tout « gérer », la chasteté me rappellerait les bienfaits érotiques d'expériences à venir. En outre, j'aurais la conviction d'être fidèle à mes propres instincts.

Plus tard, j'ai découvert que d'autres avant moi avaient tenté l'abstinence, mais quand je me suis lancée dans cette aventure je ne le savais pas, et c'est tant mieux : ma quête n'en était que plus intime, et l'idée d'intimité est à mes yeux à la fois irrésistible et extrêmement subversive. Des réseaux comme Facebook ou Twitter nous encouragent à proclamer sur la place publique nos petites victoires les plus triviales ou nos frustrations passagères, depuis le sandwich que nous avons mangé jusqu'à l'averse que nous nous sommes chopée en rentrant du bureau. Ces gadgets multifonction remplacent ce qui autrefois pouvait être des moments de contemplation par un incessant bavardage d'e-mails, de SMS et de clips de iTunes et YouTube. La réduction de notre sphère privée signe la perte des frissons délicieux qui vont de pair avec la vie amoureuse.

Autre règle que je m'étais fixée : cette année d'abstinence ne commencerait pas à partir de la dernière fois où j'avais fait l'amour, mais à partir du moment où je le déciderais. Après tout, j'avais eu des passages à vide de plus de douze mois.

# *Introduction*

Oh ! je sais ce que vous pensez : « Une année sans baiser ? Et alors ? Combien de traversées du désert je me suis coltinées, moi, et parfois plus longues ! » Ou : « Quelle prétentieuse ! Elle se croit irrésistible au point d'avoir à repousser les avances des mecs ? Quelle allumeuse, quelle garce ! »

Ou peut-être pensez-vous que je vous juge ? « Attends, qui est cette fille qui se permet de me traiter de garce ? Elle s'est éclatée, et maintenant elle veut nous dire comment se comporter ? » Je vous rassure, ça n'est pas du tout mon intention, même si nous sommes cernés de gens qui cherchent à nous dicter notre façon de mener notre vie la plus intime.

Nous avons beau passer devant les vitrines de lingerie coquine d'un pas allègre ou acheter sans complexe les mémoires de la dernière call-girl à la mode, la vie sexuelle est un sujet qui nous touche au plus profond. Aucun autre thème ne suscite un tel émoi, affolant les esprits les plus cartésiens. Deux jours après la parution de mon article sur le « Sexe sympa », une collègue m'a reproché : « Tu m'as foutu en l'air mon week-end. J'ai passé une journée entière à me sentir mal à cause de tous ces gens interviewés qui n'arrêtent pas de s'envoyer en l'air, alors que moi, que dalle. Le pire, c'est que je sors avec quelqu'un ! » a-t-elle ajouté, comme si le paradoxe venait de lui sauter aux yeux.

Mais peut-être êtes-vous à mille lieues de penser ça. Peut-être ne murmurez-vous qu'un seul mot : « Illusion. » Après tout, les préliminaires peuvent être beaucoup plus satisfaisants que ce qui suit. Se coucher *à côté* de quelqu'un – rêver à deux, se réveiller à deux – est une expérience beaucoup plus intime que coucher *avec* quelqu'un. Et, souvent, les gens qui renoncent à toute vie sexuelle n'ont d'appétit pour rien. John Harvey Kellog, par exemple, s'abstint aussi de toute une série d'activités, dont la valse et la consommation de nourriture trop lourde (à l'origine, ses pétales de maïs grillés, les fameux « corn flakes Kellog's », faisaient partie d'un plan beaucoup plus ambitieux qu'un simple petit déjeuner sain et rapide). Au IVe siècle, saint Siméon le Stylite, fils de berger, vécut au sommet d'une colonne de vingt mètres jusqu'à plus de soixante ans. Seuls les pèlerins hommes avaient le droit de se rassembler au pied de la colonne. Les femmes, elles, y compris sa mère, avaient interdiction de s'approcher. Quant à moi, me voilà prête à me priver de rapports sexuels pendant douze mois tout en m'autorisant de bons petits plats, des talons aiguilles et une vie sociale enjouée, sans compter l'excitation de cette nouvelle entreprise. Où est le défi ? me demanderez-vous.

C'est justement ça qui est intéressant. Contrairement aux bonnes sœurs dont les robes amples rappellent en permanence la chasteté, je n'avais nulle envie de renier ma féminité ni de me priver d'une vie sentimentale. La seule chose que je m'étais interdite, c'était le sexe. Je venais d'avoir trente ans et j'avais décidé d'inaugurer la décennie en jetant un nouveau regard sur l'amour. Un regard qui ne soit pas faussé, qui permette plus de respect de soi et qui – pourquoi pas ? – fasse que j'aie un peu plus de succès. Une version grenouille de bénitier de la chasteté n'aurait eu aucun sens. Autre chose : à force d'accumuler les fiascos amoureux, j'avais oublié que faire la cour peut être un vrai plaisir.

Il suffit de prendre une telle décision pour voir à quel point le sexe est omniprésent. Dans le déhanchement d'un serveur trop mignon, une façon de pencher la tête, un regard auquel vous feriez mieux de ne pas répondre, en tout cas, avec moins d'insistance. Dans la main baladeuse d'un homme dont le nouvel appartement manque de canapé, heureusement, car un canapé exige qu'on s'y fasse sauter. Dans l'ellipse finale d'un SMS scellé par un petit bisou tentant en diable. Dans les paroles d'une chanson qui vous trotte dans la tête et commence par un type demandant à sa copine combien de fois par nuit elle en voudrait. Dans le nom d'un vernis à ongles, « Tentatrice », que vous avez acheté distraitement. Et, de façon plus pernicieuse, dans les slogans qui s'affichent sur les tee-shirts des préados, ou les poses provocatrices des héroïnes de BD sur les emballages des barres chocolatées.

Une année, finalement c'est très long, et, même si je ne m'en rendais pas compte, en m'autorisant toutes les bonnes choses qui culminent dans le plaisir physique, je mettais la barre particulièrement haut. J'en reparlerai plus loin. Pour l'instant, retour au tout début, à cette étrange légèreté qui précède toute liaison fatale, un pur hasard, un aperçu sur un chemin que je n'avais pas pris et qui m'a menée à cette aventure inattendue.

# 1

# *Ma première fois*

« Personne ne meurt de manque de sexe.
C'est du manque d'amour que nous mourons. »
Margaret Atwood, *La Servante écarlate*.

Manhattan, début octobre.

Il fait chaud comme en plein été. Je suis à peine remise de mon voyage, après le stress de la veille : rangement express de mon bureau en toute fin de journée, valises bouclées à la va-vite et saut dans un taxi au cœur de l'aube humide de Londres pour filer à l'aéroport. Le chauffeur bavardait avec un accent venu d'ailleurs impossible à identifier alors que nous traversions des rues que j'avais du mal à reconnaître tellement elles étaient désertes. Je voyageais par plaisir ou pour le boulot ? Les deux, avais-je répondu, incapable de me souvenir quand la distinction avait commencé à se brouiller.

Après avoir atterri à midi, déposé mes bagages et embrayé avec un premier rendez-vous, j'essaie de m'orienter, de laisser mes pieds repérer l'est et l'ouest, le nord et le sud de l'île, une topographie si simple qu'elle est parfois déroutante. Quand soudain je me retrouve sur la Cinquième Avenue, emportée par le flot sans fin des piétons. Le soleil éclaire encore le ciel, soulignant la forêt de colonnes argentées de la ville et projetant ses rayons dorés à l'infini. Un spectacle hallucinant. Hallucinée, je m'accorde une pause à un carrefour, vacillant sur le trottoir, les yeux rivés sur les visages des passants en attendant de me laisser balayer par la vague de la foule.

C'est alors que je le vois : Dan, mon petit copain quand j'étais à la fac, mon premier amour.

Pourtant, il a changé. À la fois amaigri et épaissi aux mauvais endroits. Quelque chose dans sa présence, une façon de traverser la vie et le monde, provoque en moi un sursaut de joie au moment, trop bref, où il passe. La mémoire des muscles est la plus forte, m'a dit un jour un professeur de danse. Là, au milieu de la Cinquième Avenue hurlant de taxis jaunes assourdissants, je me demande si ce n'est pas les souvenirs liés au cœur qui sont les plus nets. Car une petite partie du mien a instinctivement reconnu le garçon à qui il appartenait des années plus tôt.

Ah ! comme je l'adorais ! Il était intelligent et beau comme un dieu, animé par une énergie impitoyable, les épaules tendues comme celles d'un boxeur. Son sourire avait comme une petite fêlure qui trahissait juste ce qu'il fallait de vulnérabilité. Nous nous étions rencontrés à la fin de la deuxième année au cours de ce qu'on appelait, avec l'ironie épuisante de la jeunesse, une « soirée bop », celle-ci étant destinée à célébrer le concours de l'Eurovision, sommet du kitsch s'il en est. C'était en 1996, et la chanson qui représentait le Royaume-Uni était *Ooh Ahh… Just a Little Bit*, de Gina G., qui allait devenir notre tube préféré.

Dan avait un défaut irrésistible, il était maladroit. S'il y avait un truc près de tomber dans une pièce, si possible avec fracas et dégâts, il était pour lui. Tout était à l'avenant, y compris sur une piste de danse. Non qu'il fût mauvais danseur, mais il s'agitait dans tous les sens et ne cessait de me donner des coups de coude et des coups de pied. Chaque fois il s'excusait. Et chaque fois nos sourires étaient un peu plus radieux et nos regards croisés un peu plus appuyés.

Plus tard, ce soir-là, quand on a rallumé les lumières, révélant tous ces visages hâves et ravagés, tout le monde s'est précipité au vestiaire, mais nous sommes restés pour parler, ou ne pas parler, comme si nous avions déjà signé une sorte de pacte tacite – fallait-il encore en rajouter ? J'ai dû lui donner mon nom et lui dire dans quel collège j'étudiais puisque, peu après, un petit mot s'est glissé dans mon casier à l'université. Il me proposait de prendre un verre avec lui. À l'époque, on n'avait d'autre choix que d'y croire. Aujourd'hui, le mot serait un texto ou un mail, qui en soi sont aussi excitants, mais beaucoup moins intimes qu'un mot écrit à la main, avec ses pleins et déliés cryptiques et maladroits. Un texto vit le temps d'une carte SIM. Un mail peut être imprimé à l'infini en quelques clics, d'où le fait que nous ne prenons jamais la peine de le faire. Un mot, en revanche, avec son côté tangible, peut être conservé, choyé, égaré…

En fait, la soirée Eurovision n'était pas notre première rencontre. Celle-ci avait eu lieu deux ans auparavant. Quelqu'un m'avait entraînée à une réunion organisée pour les étudiants de première année et un de ses copains de classe nous avait présentés. Nous n'avions pas beaucoup discuté. Son ami flirtait vaguement avec moi, il était malin, cela dit, Dan avait plus de prestance et, en outre, il avait l'air ombrageux et un peu boudeur. Des mois et des mois ont passé avant qu'une copine me le signale, à bout de souffle, au cours d'une nouvelle beuverie. Le nuage sombre qui le voilait s'était dissipé, révélant un certain éclat en lui. Ses yeux brillaient, noirs comme de l'encre, comme si tout conflit se profilant à l'horizon était un défi auquel il ne pouvait résister.

Des années plus tard, par une fraîche soirée de printemps, j'étais dans un boui-boui parisien avec une amie et nous commentions une de mes devises favorites : « Il l'a poursuivie jusqu'à ce qu'elle l'attrape. » J'ai pensé à cette soirée lointaine où j'avais suivi le regard d'une autre fille à travers la salle enfumée bourrée d'étudiants, et j'ai souri, car je savais qu'à ce moment-là mon piège venait de se refermer. Je fais beaucoup moins confiance à mon intuition depuis.

Nous sommes très vite devenus inséparables. Cette année-là, il a fait beau très tôt, et nous nous retrouvions après nos examens pour aller nous allonger sur les berges de la rivière quand le crépuscule tombait. Amoureuse, grisée, j'en oubliais de manger et je maigrissais. Je rêvais. J'étais devenue comme les filles que j'avais toujours méprisées, celles qui abandonnent leurs copains pour passer la soirée avec leur chéri. À la fin du trimestre, nous avons été jusqu'à nous présenter nos familles respectives. Nous avions tous les deux trouvé un boulot d'été, un remplacement, et nous avons passé trois mois à jouer aux adultes, lui en costume-cravate, moi en talons hauts, ravis de nous mêler aux cohortes de cadres qui se retrouvent dans les pubs de la City en fin de journée. Il laissait des chemises chez moi. Des petites culottes qui m'appartenaient traînaient au fond de son lit. Un soir, j'étais assise et je le regardais faire la cuisine. Il avait des mains adorables qui n'avaient plus rien de maladroit, au contraire, il vaquait entre le four et le frigo, remuant, coupant en dés, s'interrompant pour goûter telle ou telle préparation. Voilà la vie que je voudrais avoir quand je serai plus âgée, pensais-je, calée contre la veste qu'il avait posée sur ma chaise et humant les délicieux parfums du dîner à venir.

À la fin de l'été, nous sommes partis pour un périple dans le désert, pique-niquant sur le capot brûlant d'une voiture de location. Nos baisers avaient un goût sucré-salé relevé par une pointe de crème bronzante, et la nuit nous nous allongions, nus, sous le vieux ventilateur grinçant qui remuait l'air moite des chambres à trois francs six sous que nous louions. Nous nous sommes perdus, nous avons chaviré en kayak, nous avons failli traverser une route à quatre voies – et alors ? pensions-nous. Quelque chose s'est consolidé entre nous au cours de ce voyage.

Pour Yom Kippour, nous sommes allés en Israël. Nous avons passé un long moment assis au bord du lac de Tibériade, cette partie verdoyante du nord du pays, savourant le calme à peine troublé par le clapotis des vagues contre une vedette amarrée là, le genre de petit bateau-mouche qui tourne en rond pour fêter un mariage ou un anniversaire. Un doux reggae résonnait sous le pont et animait l'air chaud de la nuit. Des lumières brillaient sur le rivage opposé, mais sous nos yeux et au-dessus de nos têtes des immensités liquides émaillées d'étoiles se déroulaient à l'infini. Sirotant une bière achetée à l'un des marins en dreadlocks, nous avons longtemps discuté, mais nos silences étaient presque plus éloquents dès qu'il s'agissait d'envisager l'année universitaire et l'avenir qui nous attendaient.

Le nouveau trimestre est arrivé, et nous nous sommes très vite installés dans une vie à deux tranquille et confortable. Nous n'avons passé qu'une nuit séparés au cours de cette troisième année ensemble. Je revois encore une photo de nous prise au cours d'une garden-party juste avant la remise des diplômes : pomponnés comme deux minets, lui, le bras autour de ma taille, avec cigarette et coupe de champagne, de rigueur. Une myriade de bourgeons près d'éclater donne un petit air suranné à l'image, comme une vieille photo de mariage. Avec le recul, je dirai plutôt que c'est notre assurance qui est frappante, à tel point qu'elle éclipse notre tout jeune âge.

Les derniers examens venaient de se terminer, la remise des diplômes aussi, et tout à coup… le grand départ.

« Ne te retourne pas », m'a dit Dan alors que nous roulions vers notre avenir. Je ne me suis pas retournée, ni sur le moment ni quelques mois plus tard, lorsqu'un matin je me suis réveillée en réalisant que je n'étais plus amoureuse.

Retour à cet après-midi inondé de soleil à New York, huit ans plus tard. Mon petit copain de fac, mon premier amour, passe et s'éloigne, un bras autour de l'épaule d'une autre. Elle est menue, elle a des cheveux couleur de miel et tous deux entrent dans une boutique.

De Beers. Un bijoutier.

On dirait le scénario d'un des innombrables romans que je reçois en tant que critique ou d'un des films que je dévore sans discrimination dès que j'ai le temps. Sauf que, si la scène avait été une vraie fiction, j'aurais appelé Dan, il se serait retourné et nous aurions été foudroyés par la même évidence : nous étions faits l'un pour l'autre, pour l'éternité, et la petite blonde entr'aperçue aurait disparu dans une intrigue secondaire plus ou moins comique. La vision fut tellement irréelle que je n'ai pas pu ouvrir la bouche ; j'étais foudroyée par un sort.

Plus tard, au cours de ce séjour à New York, je traînais dans la boutique d'un musée quand j'ai remarqué une grosse bague en Perspex au milieu des crayons noirs et des porte-clés. Elle ressemblait à une boule-souvenir miniature dont la partie supérieure était remplie de paillettes. Une vendeuse aux cheveux argent a souri en me voyant provoquer une pluie d'or alors que je secouais la bague pour la retirer.

– J'adorais ça quand j'étais petite, me suis-je justifiée, gênée.

Sauf que j'avais vingt-neuf ans, bientôt trente, et elle devait s'en douter.

– On a tous besoin d'un peu de magie dans la vie, m'a-t-elle répondu.

Je ne l'ai pas trouvée ringarde mais, au contraire, tellement simple qu'elle m'a touchée droit au cœur.

Nous, athées et agnostiques du XXI^e siècle, avons une telle foi en l'amour ! Nous en traquons les méandres dans les horoscopes et lui attribuons toutes sortes de pouvoirs de métamorphose. Passifs, nous attendons qu'il nous tombe dessus, et dès qu'il survient nous nous précipitons à genoux en nous émerveillant de cette force qui a su nous guider à travers le labyrinthe et les hasards de la vie.

La scène à laquelle je venais d'assister à New York, ce bref aperçu d'un amour naissant, m'a fait réfléchir. Coïncidence ? Destin ? Ou simple instantané sur un état de choses qui avait peut-être, ou peut-être pas, cours ? Quoi qu'il en soit, le fait de voir Dan avait été amplement suffisant. À Londres, la ville où nous vivions, je n'étais tombée sur lui qu'une fois, six ou sept ans plus tôt, or il venait d'apparaître face à moi de l'autre côté de l'Atlantique. Voilà où m'avaient conduite dix années de vie vertigineuse et sans amour entre vingt et trente ans : à avoir des hallucinations au sujet d'un ex.

Et pourquoi Dan ne m'avait-il jamais tenue ouverte la porte de chez De Beers ? me demanderez-vous. Avec une dizaine d'années de recul, cette liaison me semblait d'une simplicité à la fois inaccessible et rédhibitoire. Nous étions tellement épris que notre vie était une parodie, une pièce dans laquelle chacun jouait son rôle avec un sérieux absolu, le type de sérieux que l'on perd en mûrissant. En réalité, il y avait plein de choses qui n'allaient pas. Les amis que je négligeais me trouvaient beaucoup trop entichée de lui, et nous évitions toute discussion sérieuse – pourtant, rien ne semblait remettre en cause ce qui nous liait, quel que soit ce lien. Le cul ? Sans doute, mais il n'y avait pas que ça. À l'époque, je ne pouvais pas savoir ce que c'était qu'une histoire de cul parce que c'était avec Dan que j'avais perdu ma virginité.

Étant donné cette espèce de « tout va bien, où est le problème ? » typique de cette fin de siècle occidentale blasée, on ne peut pas dire que j'étais précoce. J'avais vingt ans quand je l'avais perdue, soit quatre ans de plus que la moyenne nationale, échappant de justesse au statut de vieille fille si l'on s'en tient aux repères des postadolescents qui commencent à paniquer. Au lycée, une ligne de démarcation invisible avait fait son apparition entre celles qui, à quinze ans, étaient passées à l'acte et les autres, qui n'en savaient que ce qu'elles avaient lu dans les romans de Judy Blume et les séries cuculs pour les filles. Une de mes amies les plus proches avait franchi le Rubicon, traversant ensuite une période où elle se tenait en retrait, souvent de mauvaise humeur, maigrissant à vue d'œil alors qu'elle passait les heures de déjeuner sur les genoux de son jules aux cheveux hirsutes.

En terminale, nous bossions tous comme des fous, si bien qu'à dix-sept, dix-huit ans je n'avais pas l'impression d'être une exception. Je me rassurais en me disant qu'on batifolait quand même un peu. Par exemple autour de la piste de danse d'une boîte d'ados où toute la classe se tripotait – nous étions dans un coin, à moitié ensevelis sous des manteaux dont les poches livraient leurs secrets chaque fois que l'un ou l'autre bougeait pour secouer un membre endormi ou prolonger un baiser sous un autre angle, comme si ça changeait quelque chose. Quant à moi, j'avais appris à embrasser avec la langue, dans un bar de la rive gauche de Londres, avec un type du quartier dont je ne me rappelle que l'odeur de cuir mêlée à celle des Marlboro light, et le fard épouvantable que j'ai piqué quand il a voulu m'initier à l'art de resquiller pour entrer dans le métro et qu'on s'est fait arrêter. « *Je suis française* », ai-je répondu au contrôleur brandissant un carnet de contraventions en nous menaçant d'une amende bonbon. C'était la deuxième fois de la soirée que j'avançais ma nationalité pour m'excuser de ne pas connaître les usages du pays.

À la fac, un jour, je m'étais endormie à côté d'un garçon au teint pâle qui prétendait que sa chambre avait été celle de E. M. Forster avant de s'écrouler de sommeil. Puis ce fut un garçon qui bondit hors du lit en pleine nuit pour prendre une douche. Avec le troisième, c'est moi qui ai bondi hors du lit, non pas sous la douche mais direct dans ma chambre.

Je n'avais pas l'impression d'être difficile, le choix était trop réduit pour ça, mais j'imagine que j'attendais. La première fois n'arrive qu'une fois, et je ne voulais pas que la mienne soit un souvenir dont toute ma vie je chercherais à me débarrasser. Je savais que ça pouvait mal se passer et j'avais vu beaucoup de filles se faire lâcher par leur jules après avoir accepté de coucher. Mais plus le temps passait, plus il fallait que je sois prudente : si je flippais parce que j'étais toujours vierge, je risquais de tomber sur un garçon que ça perturberait. Enfin se posait la question cruciale : qui dit que j'assurerais ? Même si la première année de fac était accompagnée d'une avalanche de prospectus d'information et de prévention qui remplaçaient les bons vieux conseils qu'on se passait entre femmes, je ne pouvais pas me voiler la face : je n'avais aucun entraînement. La génération de ma grand-mère avait peur de tomber enceinte, la mienne de ne pas assurer techniquement.

La virginité n'est plus prisée depuis fort longtemps dans nos sociétés laïques, mes années adolescentes sont largement passées, et à l'époque j'avais hâte de me débarrasser de la mienne. Je me donnais encore six mois avant de sauter sur le premier mâle consentant, et hop, on n'en parle plus. Sauf qu'en même temps j'attendais une dévotion totale qui m'immuniserait contre la honte et la douleur éventuelle. Si seulement je pouvais tomber sur un garçon dont je serais folle amoureuse, je pourrais lui expliquer que c'était ma première fois au moment où il découvrirait ma maladresse. C'est alors qu'apparut Dan.

La satisfaction de cette première fois en valait la chandelle. Le tout entouré de drame, voire de mélodrame (rien de tout ça ne m'a vraiment rendu service plus tard). Voici comment ça s'est passé. Nous devions aller à un barbecue. J'étais originaire du Norfolk, mais ma mère et ma sœur avaient déménagé à Londres depuis que j'étais à l'université, et nous vivions dans un appartement en rez-de-jardin. Le barbecue avait lieu à quelques minutes en voiture dans un grand parc circulaire entouré d'une fausse palissade qui était, en fait, un mur de béton moulé. Depuis le parking, il fallait faire le tour du parc pour arriver au portail, mais nous avons préféré escalader le mur. Il n'était pas particulièrement haut, mais le fait d'être avec Dan me donnait le vertige. J'ai grimpé et sauté de l'autre côté, et, crac, j'ai déchiré ma jupe. J'étais mortifiée, à tel point que je n'ai rien senti alors que je m'étais blessée et que je saignais. Manifestement troublé par la vue du sang, Dan m'a tout de suite raccompagnée à la maison. Il n'y avait personne et je me suis soignée et changée, abandonnant ma jupe déchirée et tachée dans la salle de bains.

Là-dessus nous sommes retournés dans le parc. Le barbecue était sympa, on a bu du punch dans des verres en plastique. L'après-midi a passé et en début de soirée nous avons décidé de rentrer chez lui, laissant la voiture pour prendre le train. Dan vivait en banlieue, assez loin pour que le métro devienne aérien et permette de voir les centres commerciaux aux couleurs criardes et les tours où le linge séchait sous un ciel rose et brillant qui annonçait l'été. Peu après, je perdais ma virginité sur le sol de sa chambre d'enfant.

– Je crois que je suis en train de tomber amoureux, m'a-t-il avoué alors que nous étions enlacés.

Dehors, la lumière avait faibli et déjà les bruits du week-end résonnaient : une voiture dans la contre-allée, des portes qui claquaient, des enfants qui se chamaillaient... L'atmosphère à l'intérieur était très différente. Son père était mort dix-huit mois plus tôt, et la maison donnait l'impression d'être abandonnée. Au rez-de-chaussée, les pièces avaient l'air condamnées, même si sa sœur était là, pendue au téléphone, et la télévision allumée. C'était un de ces pavillons construits en série dans les années trente, mais celui-ci se distinguait, et vu de loin, sous la lumière du début de la soirée, il avait l'air plus granuleux que les autres, un peu en retrait, comme un crapaud tapi derrière un petit bout de jardin alambiqué. Faire l'amour – même avec la faim et l'ardeur de notre jeune âge – dans cette maison, c'était un peu comme s'accrocher à un radeau.

Je ne me souviens pas si je suis restée chez lui après, mais, quand je suis rentrée, ma mère m'a accueillie avec une volée de bois vert tellement elle était inquiète. Elle savait où j'étais, mais elle avait dû se faire du souci en découvrant ma jupe pleine de sang dans la salle de bains. C'est elle qui m'avait aidée à la choisir la veille, et j'étais ravie de la porter pour le barbecue. Quand j'y pense, on aurait dit une parodie de tragédie grecque, sauf que ma mère était plutôt fana de séries policières, et, quand je l'ai vue brandir sous mon nez ma jupe en loques, ça m'a rappelé *NYPD Blue*.

Depuis, j'ai toujours attendu du sexe qu'il m'apporte de l'amour et du drame. Le drame, c'est bon, j'ai toujours su faire, l'amour, en revanche… Avec Dan, ça n'a pas duré très longtemps. L'été qui a suivi la remise de nos diplômes, nous faisions du surplace. Sous notre apparence calme, nous étions, en fait, très agités. Soit nous acceptions un vrai job et nous avions l'impression que c'était le début de la fin, soit… nous étions paralysés par l'infini des possibles qui s'offraient à nous. Nous n'avions pas idée de ce que nous voulions faire et notre éducation ne nous y avait préparés en rien. Autour de nous, ceux qui avaient de l'argent partaient s'enfouir la tête dans des sables lointains. Les autres acceptaient des jobs intérimaires en se demandant que faire après. Dan et moi, nous avions prévu d'économiser pour aller passer au moins un mois en France, mais juillet est passé, puis août, et nous n'avions pas bougé d'un pouce.

Un soir, nous étions tous les deux seuls, assis dans le jardin, chez ma mère, devant les restes du dîner et les bougies qui n'en finissaient pas de dégouliner dans l'obscurité. L'automne annonçait sa venue dans les arbres qui soupiraient, mais il faisait encore doux et les fenêtres étaient ouvertes ; chacune d'elles semblait encadrer une petite scène illuminée, le tableau d'une vie possible, que nous pouvions, devions choisir. Ce soir-là, légèrement ivre à cause du rosé, j'ai eu la même impression grisante qu'au bord du lac de Tibériade un an plus tôt : mon avenir me tendait les bras et tout était ouvert. Un an plus tôt, c'était trop pour que je saisisse ma chance, mais à présent j'étais prête. En tout cas, j'avais intérêt, puisque je ne pouvais y échapper. Je ne me souviens pas d'en avoir parlé à Dan ce soir-là, peut-être ai-je simplement jeté un coup d'œil sur lui pour voir s'il pensait la même chose. Quelques semaines plus tard, il a accepté de suivre une formation de droit, et j'en ai conclu qu'il optait pour une nouvelle année de certitude, voire plus. Le matin où j'ai su qu'il fallait que j'en finisse, j'ai compris ce que voulait dire une histoire de cul. Mentir par rapport à ce qu'on est vraiment – ce que je faisais depuis un certain temps.

Entre-temps, j'avais commencé à travailler dans l'édition. Mon boulot n'était pas exactement celui dont je rêvais, mais au moins j'avais un bureau et une fonction, avec des beignets en prime le vendredi. J'avais aussi ce qu'il me fallait de drame puisque le fonds de commerce de la maison était le *Guinness des records*, et je passais des journées entières à bosser sur tout ce qu'il y avait d'extrême en termes d'ambition : le plus grand, le plus fort, le plus je ne sais quoi. J'avais parfaitement conscience de faire mes premiers pas dans le monde des adultes et je garde un souvenir très vif de ce premier automne, joyeux, léger comme la brise, et si doux que j'ai abordé jambes nues le mois d'octobre et l'avenir qui attendait que je le construise. Si Dan avait partagé un peu de cette légèreté, notre liaison aurait sans doute duré un peu plus longtemps. Cela dit, je m'étais entichée d'un autre, et mon cœur me semblait receler un infini de possibles et d'inconstance. Est-ce parce que j'étais séduite par l'idée que quelqu'un de plus parfait me guettait au coin de la rue ? Oui, mais il n'y avait pas que ça. Je croyais aussi qu'un moi plus parfait m'y attendait, là, juste après le virage.

C'est dans cet état d'esprit peu apaisé que je me suis lancée dans le journalisme littéraire, enchaînant papiers, remises urgentes, fiestas, le tout avec un régime malsain de fiction contemporaine. En un an, j'ai fait le compte-rendu de plus de deux cents « romans ». Des volumes maigrelets écrits par des personnalités, des récits poids plume bons à caler des pieds de table, des polars et des thrillers à la pelle – dont presque tous contenaient une histoire d'amour. Entre vingt et trente ans, j'ai vécu dix années à la vitesse d'un bouchon de champagne qui saute. J'ai dansé dans des restaus, dragué dans les boîtes de Soho et discuté bouquins au petit matin dans des repaires de noceurs. Je ne gagnais pas grand-chose, mais, comme tous les journaleux branchés le savent, la vie de paillettes gratuite qui va avec, sorties aux frais de la princesse et lancements de presse compensait largement. Une consommation suffisante de petits-fours remplaçait parfaitement un dîner, et quand il n'y avait plus de boissons à bulles le pinard qui le remplaçait permettait de repousser la gueule de bois qui s'annonçait pour le lendemain matin. J'avais la belle vie, j'étais jeune, je louais un petit appart avec une kitchenette et un canapé au centre de Londres, et dès que les feuilles des arbres tombaient j'avais une vue sublime sur les toits de la ville.

Ce fut une époque grisante, vertigineuse, et si quiconque m'avait demandé si je n'abusais pas un peu des sorties j'aurais repoussé la question avec un grand sourire. Après une adolescence triste et solitaire au fin fond du Norfolk, je me rattrapais. N'était-ce pas pour ça que j'avais tellement travaillé, pour m'échapper et vivre dans une grande ville où tout brille ? En fait, je travaillais au moins autant, passant une nuit blanche à écrire au moins une fois par semaine, et souvent le week-end. Je ne prenais pas de vacances et claquais mon salaire en taxis, qui devinrent très vite une vraie drogue.

J'avoue qu'avec leurs immenses habitacles et leurs carrosseries noires rutilantes les taxis de Londres ont quelque chose d'extravagant et d'unique. J'en étais folle depuis ma première visite de la capitale quand j'étais petite. Les rues du nord-ouest de la ville ruisselaient d'eau à cause de pluies torrentielles, et mon grand-oncle préféré était venu nous chercher à la gare dans son taxi, qui n'était pas noir, mais bordeaux. Toutes les voitures étaient bloquées sauf la nôtre, qui voguait allègrement. Il y a plusieurs chauffeurs de taxi dans ma famille, si bien que chaque fois que je remets son dû, souvent hors de prix, à un chauffeur, c'est sans aucun problème. Au cours des premières années de ma vie professionnelle, les taxis sont devenus pour moi une sorte de confessionnal ambulant. Grâce à la paroi de verre séparant le client du chauffeur, je jouissais de rares moments de calme et de solitude, et, quand le chauffeur me tenait le crachoir, l'anonymat nous inspirait l'aveu de vérités inattendues tandis que les rues défilaient dans la nuit. Souvent, quand j'étais assise seule sur ces larges banquettes lustrées, je me demandais où cette vie de bâton de chaise mue par l'ambition me mènerait.

Quelque part au fond de moi, je devais me dire que vivre seule faisait partie du deal. Je voulais une relation qui ait plus de sens, qui soit plus durable, mais je persistais à m'acoquiner avec des hommes rarement libres, pas prêts à s'engager, beaucoup plus âgés, des hommes inaccessibles, émotionnellement ou géographiquement. Tous avaient un point commun : ils ne pourraient en rien bouleverser la vie que je croyais avoir choisie. Par rapport à ce que je voyais autour de moi – ces couples qui se crêpaient le chignon entre les rayons de conserves au supermarché, ces amours qui n'étaient qu'une façon pitoyable de s'accrocher à quelqu'un qu'on avait connu à la fac –, ma vie avait un petit côté glamour couleur de mascara qui coule, avec une touche d'imprévisible. Au pis, ces aventures me fournissaient de la matière pour écrire mes papiers.

Je me souviens d'un garçon qui m'a montré la sortie alors qu'on entrait dans son appartement en m'expliquant comment fonctionnait le verrou au cas où je voudrais partir pendant qu'il dormait. (Son immeuble avait un ascenseur avec une voix préenregistrée qui comptait les étages sur un ton particulièrement sinistre.) D'un homme qui m'a transportée dans son lit avant de me demander de lui lécher le visage tout en le regardant droit dans les yeux. D'un autre qui m'a demandé de porter une burqa qu'il avait rapportée d'Afghanistan (j'ai refusé, je trouvais que c'était une offense à tous les niveaux). D'un romancier engagé (je ne le savais pas), d'un autre romancier, beaucoup plus âgé et à deux doigts de divorcer (et mon cul, c'est du poulet ?), ou encore d'un écrivain en herbe qui m'avait juré qu'il était un amant tellement exceptionnel que je m'en voudrais toute ma vie si je disais non (et j'ai dit non).

Chaque liaison, qu'elle durât une nuit ou quelques mois torrides, finissait comme la précédente. Une fois sur le carreau, je réagissais comme toutes les femmes réagissent, en me fichant de ma pomme. Souvent, je profitais de ce que nous appelions le Groupe pour en parler. C'était, et c'est toujours, une assemblée de copines rencontrées à l'université et qui ont choisi des voies étonnamment variées. Flora est professeur dans le Nord, Necky travaille pour une télé destinée aux enfants à Londres, Priya fait une brillante carrière dans la finance et Lucy réalise des documentaires. Sara, notaire, est mariée depuis plusieurs années, et Neil, membre honoraire car elle n'est pas allée dans le même collège d'Oxbridge, l'est sans doute elle aussi, puisque c'est elle qui est sortie avec le même garçon le plus longtemps (mis à part Sara). Aujourd'hui, nous nous réunissons un peu moins souvent, mais c'est toujours à l'aune des résultats annoncés par les unes et les autres que nous mesurons les nôtres, y compris dans le domaine amoureux.

À l'époque, on se racontait nos derniers petits flirts de bureau ou le retour d'anciennes flammes, et systématiquement Flora se retournait vers moi en me lançant : « Allez, tu as toujours un mec plus ou moins dans la poche, toi. » Du coup, je leur offrais ce qu'elles attendaient, faisant semblant de ne pas voir que mon humour me revenait en pleine figure quand je lisais de la sympathie, voire de la pitié dans leurs regards. Gentiment, elles m'écoutaient en rajouter pour souligner la vanité de tous ces petits jeux. Typiquement, les hommes, même les plus âgés, étaient toujours de jolis garçons, et moi une charmante jeune fille. Oui, c'était drôle, c'était léger, mais même si je ne couchais pas avec chaque type, à chaque fois j'y laissais des plumes, ne serait-ce qu'à cause de la façon dont les autres me regardaient. En outre, une question me taraudait : à partir de quand « avoir du succès » devenait un euphémisme pour désigner des atouts beaucoup moins enviables ?

Un jour, après une fête d'anniversaire chez moi, un ami m'avait demandé le téléphone d'une fille alors qu'il n'était même pas sûr qu'elle vivait seule. « Elle a une tête de petite copine sérieuse », avait-il ajouté en soupirant. Quelle était cette tête, me demandai-je, et depuis quand ne l'avais-je plus ? J'ai commencé à faire la liste des hommes avec qui j'avais couché, tout en me demandant si mon compte était délirant et ce que j'en avais à faire. On était supposées être libérées de tout ça, non ? Je flippais à cause de nouvelles rumeurs d'infections et de maladies sexuellement transmissibles. Et j'avais eu une conversation à cœur ouvert avec une amie de ma mère qui m'avait confié : « Essaie de ne pas finir comme moi. » À mes yeux, c'était une femme tellement accomplie et aimée que le célibat et l'absence d'enfants contre lesquels elle me mettait en garde me semblaient une broutille.

Nous avons grandi à une drôle d'époque, mes amies et moi. Élevées avec l'idée que nous pouvions faire tout ce que faisaient les garçons – y compris du mal, telle Margaret Thatcher, qui avait été au pouvoir pendant presque toute notre enfance –, nous étions mal à l'aise d'avoir à quitter un lycée mixte pour une université réservée aux filles qui ressemblait beaucoup à celle que ladite Thatcher avait fréquentée, avec examen d'entrée.

Dans le monde où nous évoluions, nous n'avions plus besoin d'universités réservées aux filles. Par ailleurs, nous ne nous intéressions pas beaucoup au féminisme, qui nous paraissait hors sujet depuis plusieurs décennies. Nous en avions récolté les bénéfices et nous avancions. Quand nous traversions un moment difficile, nous augmentions le volume de la radio pour ne jamais oublier que *Girls Just Want to*

*Have Fun*[1], un tube des années quatre-vingt, je sais, mais nous étions déjà nostalgiques, et l'alternative, c'était le *Girl Power*, quel que soit le sens de ce « pouvoir des filles ».

Germaine Greer, féministe australienne, donnait des cours à l'autre bout de Londres, mais si d'aventure l'une de nous avait ouvert le livre qui l'avait rendu célèbre elle aurait été surprise. *La Femme eunuque* avait été publiée vingt et un ans avant l'année où j'avais atteint l'âge légal pour avoir des relations sexuelles (et un an après que l'une de mes camarades de classe âgée de quinze ans ne fut devenue mère, suivant l'exemple de sa sœur, qui avait accouché dans les toilettes de l'école). Voici ce qu'elle écrivait dans la préface de la nouvelle édition publiée à l'occasion de l'anniversaire de la parution originale : « Il y a vingt ans, il était important de mettre en valeur le droit à l'expression sexuelle et beaucoup moins important de souligner le droit d'une femme à repousser les avances d'un homme. Aujourd'hui, il est encore plus important de souligner son droit à refuser la pénétration, le droit au *safe sex*, le droit à la chasteté, le droit de retarder les rapports jusqu'à ce qu'elle ait des preuves irréfutables d'engagement. » Nous n'avions que faire de ce type de sagesse, et, si ces conseils avaient été projetés sur un écran dans un amphi, nous aurions tout de suite pensé que la « femme » dont elle parlait était une autre, sûrement pas nous. Nous étions la génération postféministe, que voulez-vous !

Nous avions fini nos études à l'époque de ce qu'on appelait les *ladettes*, autrement dit, les petites *ladies*. Portées sur l'alcool, bruyantes, ingérables, les *ladettes* étaient au moins honnêtes sur ce qu'elles voulaient être : des vrais mecs. Telle

1. « Les filles ne demandent qu'à s'amuser ». *(N.d.T.)*

était la victoire incontestable de celles qui avaient brûlé leurs soutiens-gorge, pensions-nous : grâce à elles, nous avions le droit de nous comporter exactement comme les hommes, ou plutôt comme nous les percevions, ces hommes. Car rien ne prouvait qu'eux-mêmes avaient des idées plus claires sur leur rôle. En tout cas, quand il s'agissait de mes relations avec eux, je suivais l'exemple masculin. Nous étions peut-être en position de force sexuellement parlant, mais, émotionnellement, nous étions frustrées.

Les progrès de la technologie accentuaient les illusions de ce pouvoir. Être scotchée au téléphone chez soi n'était pas suffisant, désormais, il nous fallait emporter ledit téléphone avec nous et supporter ses silences dans les bars et les cafés. Les textos « dispensent de tout engagement personnel et maintiennent les femmes sur le qui-vive », se vantait un « pro de la drague » interrogé par Kay S. Hymowitz, spécialiste du mariage travaillant pour le Manhattan Institute. Faire la cour, si c'est bien de ça qu'il s'agit, était devenu encore un cran plus rapide, car non seulement les textos nous dispensent d'engagement, mais ils nous encouragent à être brefs, de même que les mails nous ont poussés à abandonner certaines conventions comme l'utilisation des majuscules. Hélas, en allant droit au but, nous n'avons pas perdu que les règles de grammaire et de typo.

Un jour, je me souviens, j'avais vingt ans et quelques, et j'ai fait une entaille dans un mur en balançant mon portable plutôt que d'envoyer un SMS trahissant que j'étais en manque. Dans le bus, j'entendais les femmes autour de moi, surtout celles de mon âge, pestant au téléphone contre des silences impossibles à interpréter et des comportements grossiers. Elles étaient furieuses, telles les femmes au foyer de la petite-bourgeoisie de banlieue qui ont inspiré à Betty Friedman son fameux essai, *La Femme mystifiée*, autre livre dont j'aurais dit, si on m'avait interrogée, que nous avions largement dépassé ce stade.

C'est à ce moment-là qu'est né le concept de *speed dating*, vite relayé par celui d'*online dating*. À quoi bon perdre de précieuses minutes face à face alors qu'il suffit de faire défiler une liste de partenaires potentiels présélectionnés sur votre ordinateur ? Finis les yeux qui se rencontrent dans une salle bondée. Les gens vont faire leur marché sur Internet, acheter un sourire craquant et une collection de disques compatible. Un clic, et vous êtes connecté. Exit l'autre clic – ce déclic indéfinissable, mystérieux, sans lequel une liaison est vouée à l'échec –, et peu importe à quel point deux personnes semblent faites l'une pour l'autre sur l'écran de leurs ordinateurs. Tout ça nous rapproche, mais tout ça nous éloigne.

Après ma rupture avec Dan, je pensais que mon appétit serait comblé par la rencontre avec un second Dan, un peu plus âgé, qui serait à l'image de ce que je voulais être moi-même et qui vivrait dans le monde que j'espérais être le mien. Ce n'est pas ce qui s'est passé. S'il y avait un lien entre mes aventures, c'était justement l'absence de lien. Hélas pour moi, dès que je me retrouvais au lit avec un homme, je tombais vaguement amoureuse. Était-ce biologique ? Ou étais-je victime de ce « deux poids, deux mesures », notion que je pensais morte, alors qu'elle était suffisamment vivante pour que les femmes continuent à minimiser leur tableau de chasse et les hommes à l'enjoliver en riant ? Était-ce si peu raisonnable de ma part d'associer sexe et amour ?

Quoi qu'il en soit, après la fête, il reste une traînée de mouchoirs en papier fripés et mouillés de larmes, le genre à se transformer en peluches quand on les oublie au fond de ses poches avant que les vêtements passent à la machine.

J'ai beaucoup pleuré après ma rupture avec Dan, mais mon petit doigt me disait que le temps cicatriserait ma blessure, qu'il m'apporterait autre chose et me rendrait plus forte.

Un jour, en juillet, quelques mois avant que je le croise à New York, il faisait très chaud et j'étais assise au fond de ma baignoire pour me rafraîchir en pensant à mon dernier chéri qui avait disparu dans la nature. J'étais devenue tellement dure que je ne pleurais plus, et cette soudaine prise de conscience m'a fait éclater en sanglots en m'effondrant dans l'eau savonneuse. La troupe d'héroïnes féminines qu'on nous balançait était menée par Bridget Jones, Carrie Bradshaw et consorts, des femmes pleines d'humour qui n'étaient jamais aussi attachantes que lorsqu'elles avaient un coup de blues ou se retrouvaient dans des situations abracadabrantes. Sauf que nous avions eu notre dose.

Retour à Londres, la belle bague que j'ai achetée est sur mon bureau quand par hasard un échange de mails avec un ami commun oublié me prouve que Dan et moi, nous nous sommes bien croisés sur la Cinquième Avenue. Manifestement, il est allé à New York avec sa petite copine la même semaine que moi avant de rentrer en Angleterre, officiellement fiancé. Qui sait s'il n'avait pas pris la main de sa promise quelque part au-dessus de l'Atlantique pour admirer cette bague mortelle de chez De Beers ?

Souvent, les leçons les plus importantes de la vie confirment ce que nous savons déjà : un chagrin d'amour qui rend plus vrai que vrai le refrain d'un tube aguicheur ; un mauvais pas qui illustre une comptine de notre enfance ; et, dans mon cas, une coïncidence prouvant que la vie dépasse de loin, de très loin la fiction. Se retrouver dans la même ville, sur la même avenue et au même moment : tout se passait comme si une espèce de joker cosmique avait joint les maillons de mes dernières années afin de les sceller une bonne fois pour toutes. C'était tellement inattendu que je l'ai vécu comme un don du ciel assorti d'un chouïa de la magie de New York, une coïncidence si étrange qu'elle devait avoir un sens. Mais lequel ?

Manhattan étant l'incarnation de ces années stressées et impitoyables, quelle ironie que ce soit là que j'aie été obligée de faire une pause, de m'arrêter, de refuser d'écouter les sirènes de la ville et de jeter un premier regard en arrière. J'observe la pluie de paillettes qui révèle le vide de ma bague à cinq dollars tout en revoyant cette scène, quand soudain je prends conscience d'une chose : Dan était mon premier amour, et après dix années de deuxième, troisième, quatrième amour… il est le dernier à m'avoir dit « je t'aime ». Je n'avais pas besoin d'une bague juste pour entendre ces mots.

# 2

# … et ma dernière

> « Accordez-moi la chasteté et la continence, mais pas maintenant ! »
>
> Saint Augustin, *Confessions*

Quelques semaines plus tard, on me demande d'écrire un long papier à quatre mains sur les premiers rendez-vous. En face de moi est assis Jake, un type que j'ai rencontré il y a quelques années à un dîner pour fêter la parution d'un roman – une histoire d'amour, comme par hasard. C'est dans une étrange maison de guingois avec des escaliers dangereux et des plafonds très bas, nichée au fond d'un de ces dédales de ruelles qui cernent le cœur de Londres. Nous avons commencé à discuter pendant l'apéritif, et, comme nous nous sommes retrouvés assis l'un à côté de l'autre au dîner, nous avons continué.

Je ne me souviens pas que nous ayons parlé de sujets particulièrement sérieux, c'était plutôt ce qu'on faisait (il est traducteur), qui on connaissait et pourquoi – des trucs banals. Il n'était pas très grand, il avait une petite dizaine d'années de plus que moi et portait des baskets. Sur le moment, je n'ai pas remarqué ses qualités : son sourire radieux, son regard noir et vif, son charme ravageur, mais je les ai ressenties. Le dîner s'est prolongé, mais il est parti tôt. Au moment de dire au revoir, il s'est arrêté pour me pincer gentiment l'épaule puis il a tourné les talons. Je l'ai regardé s'éloigner et une pensée inattendue a surgi dans mon esprit : « C'est le bon. »

Ces deux mots ont pour moi une profonde résonance. Ils me rappellent ma grand-tante préférée, mariée à mon grand-oncle – le chauffeur de taxi – depuis plus de soixante ans. Vous allez prendre le thé chez eux, et il est capable de vous demander de déplacer votre chaise parce que ça l'empêche de voir sa femme. Le récit de la façon dont ils se sont fait la cour est une merveilleuse histoire d'amour qui aujourd'hui passerait pour du harcèlement. Une série d'évitements et de plongeons dans un labyrinthe d'allées, le tout ayant commencé un jour où il l'a vue au cinéma…

Mon grand-oncle est toujours aussi fringant, et ma grand-tante aussi digne, telle l'unique petite-fille que mon arrière-arrière-grand-père installait sur un coussin derrière la vitrine de son atelier de tapisserie, une ravissante poupée qu'il exhibait aux passants. Voici la légende familiale : lui est un jeune homme que la passion a rendu audacieux, et elle une jeune fille timide, mais qui sait très bien ce qu'elle veut. La partie comique intervient lorsque ma grand-tante conclut : « Et je me suis dit : " C'est le bon." » Et voilà, c'est une histoire d'amour adorable, avec la petite touche finale et parfaite de pragmatisme ! Ma tante étant ce qu'elle est, cette conclusion n'a rien de brutal ; elle signifie simplement que ce jeune homme était bon pour qu'elle passe toute sa vie avec lui. Car c'est bien le problème : jusqu'à quel point pouvons-nous être certain d'une telle intuition ?

Un seul homme m'a inspiré une telle pensée : Jake. Mais jamais je n'aurais imaginé le rôle qu'il viendrait à jouer dans mon histoire ni qu'en fin de compte c'est lui qui me mènerait sur la voie de la chasteté.

Après le fameux dîner, je me suis débrouillée pour trouver un prétexte de lui envoyer un mail ; il n'a pas répondu. Il avait une chérie, bien sûr. Deux années ont passé, et çà et là, quand j'étais au fond d'un précipice amoureux, je pensais à lui comme à celui qui « serait le bon » et avait disparu comme un voleur avant la fin du dîner.

Le jour où je suis de nouveau tombée sur lui, il a fallu qu'il se présente, je ne l'avais pas reconnu. « Tu m'as envoyé un mail », m'a-t-il rappelé avec un brin d'arrogance amusée. Je devais en pincer pour lui, ai-je pensé en me demandant si une attirance ne débouchant sur rien était soumise à une date de péremption, ou si au contraire nous demeurions fidèles au petit signal initial. En attendant, j'en avais par-dessus la tête, de cette soirée ; et, dans un coin, le type avec qui je sortais à ce moment-là m'attendait, c'est lui qui, plus tard, essaya de me convaincre de partir avec lui et sa fille de six ans en vacances. (« Il veut que tu joues à la nounou ! » avait commenté mon ami Neil.) Soit dit en passant, cette soirée était censée célébrer la sortie d'un bouquin consacré aux « artistes de la drague ». Il était donc urgent que je m'en aille.

Six mois plus tard, nouvelle fiesta. Un lundi soir, la salle est remplie d'éditeurs étrangers qui se défoulent en dansant et en buvant jusqu'à point d'heure, tels les hommes d'âge mûr en plein séminaire, ce que la plupart étaient. Le magnétisme, c'est comme le mercure. Trop éphémère pour être étudié mais assez puissant pour nous emporter là où on n'a pas prévu d'aller. Vous-même, vous ne le voyez pas, mais parfois vous le sentez dans le sourire sec d'un ex ou le regard sournois qui vous suit dans la rue. C'est ce qui m'est arrivé ce soir-là. J'étais allée à cette fête en espérant vaguement retrouver quelqu'un, un petit flirt inoffensif n'engageant à rien, mais, dès que je suis arrivée, c'est Jake que j'ai cherché du regard à travers la foule. J'ai tout de suite repéré mon amie Caroline. Je me suis frayé un chemin au milieu des danseurs déchaînés, sans voir qu'elle discutait avec un homme : Jake ! Il m'a gratifiée d'un superbe sourire.

Nous nous sommes réfugiés dans un petit coin où l'on puisse s'entendre, discutant en se chuchotant – ou en se hurlant – à l'oreille l'un de l'autre. Le temps que les lumières se rallument pour signaler la fin de la soirée, il était 3 heures du matin. Je suis allée prendre mon manteau et en remontant j'ai vu qu'il me cherchait. Il m'a raccompagnée en voiture dans des rues complètement désertes, à la limite du lugubre. Nous avons pris un pont autoroutier à trois voies qui enjambait une série de bureaux vides luisant dans la nuit. Les feux semblaient ne passer du rouge au vert que pour nous. Nous avions basculé de l'autre côté du miroir.

Quand je l'ai embrassé pour lui dire au revoir, j'ai hésité un quart de seconde et nos regards se sont croisés, juste assez pour que je sente que mes yeux se fermaient, puis ses lèvres sur les miennes, d'une tendresse inouïe. Il devançait chacun de mes mouvements. J'ai levé la main pour lui effleurer la joue, et ses doigts ont frôlé les miens. J'ai voulu embrasser ses paupières, et ses lèvres ont effleuré les miennes. J'avais l'impression d'avoir rencontré mon jumeau. Il a glissé ses mains dans mon manteau jusqu'au petit V de peau nue que ma robe dévoilait. « Je sens ton cœur », m'a-t-il murmuré, ses yeux brillant dans le noir. J'étais tellement excitée que c'était comme s'il me le réclamait, et j'étais prête à le lui donner, avec tout le reste, comme ça, d'un coup.

Évidemment, il avait une petite copine, une photographe allemande, la même que lors de notre première rencontre. Le fait qu'elle soit à Mexico pour une durée indéterminée, et depuis plusieurs mois déjà, rendait-il ce baiser moins traître ? J'ai reculé pour l'observer, ce revenant d'un passé inachevé, et je me suis dit qu'il m'avait été envoyé comme le messager de Cupidon, une façon de me rappeler que, parfois, ça marche. « Ne désespère pas, accroche-toi », semblait-il m'encourager. Il ne s'agissait pas vraiment de Jake, lui n'était que le messager. En plus, il était pris. Cela dit, sur le moment, alors que je sortais de sa voiture, je n'ai pu m'empêcher de lancer une petite prière silencieuse, genre *je touche du bois, pourvu qu'on n'en reste pas là*. Et si c'était lui le bon – lui et moi ?

C'était de la folie, et j'en avais conscience. Sa liaison avec la photographe allemande semblait morte, mais le fait qu'il s'y accrochait était la preuve qu'il n'était pas prêt à s'engager avec une autre. Il m'a demandé mon numéro de téléphone et je le lui ai donné. « Appelle-moi », m'a-t-il dit.

Je suis rentrée chez moi tout sourire. Je me suis démaquillée, tout sourire. J'ai remonté mon réveil en me rappelant la douceur de ses lèvres. Je souriais encore quand je me suis endormie, pile au moment où je recevais un texto de lui me souhaitant bonne nuit.

Dans les jours qui ont suivi, je n'ai cessé de penser à lui. J'étais sûre que nous en resterions là. Mais chaque fois qu'il m'envoyait un texto j'y répondais, puis c'était un nouveau texto, je répondais encore... Un aller-retour infernal qui entretenait espoir et tentation. En même temps, j'étais de plus en plus anxieuse. À tel point que, quand l'idée d'un dîner a fini par être formulée, j'ai sciemment proposé la semaine suivante. Est-ce parce que je voulais nous donner à chacun le temps de comprendre que c'était une mauvaise idée ? Nous ne l'avons pas compris, ou plutôt nous ne l'avons pas voulu. Et c'était trop tard : une date avait été fixée.

C'était un restaurant espagnol en sous-sol, trop grand et trop impersonnel au regard de la cuisine traditionnelle proposée. Arrivée la première, je me suis installée au bar en essayant de retrouver l'état d'esprit dans lequel j'étais une dizaine de jours plus tôt. Le temps qu'il débarque, apportant le froid de l'extérieur et bafouillant pour s'excuser de son retard, j'avais bu un cocktail et ajouté à mon malaise.

D'une certaine manière, ce premier rendez-vous fut un fiasco. La tête dans les étoiles, trop émus pour avoir faim, nous avons choisi des tapas, mais dès que nous avons fini de manger la discussion a tourné court. Que restait-il ? Un pur échange de regards si intense qu'il en était presque obscène, et je ne cessais d'observer les gens autour de nous en rougissant, comme s'ils me condamnaient. Soudain, il m'a pris la main.

Après le dîner, nous sommes passés à son bureau. Il devait récupérer quelque chose avant de me raccompagner chez moi, disait-il, même si ni lui ni moi ne nous faisions d'illusions. Il neigeait, une bise froide nous glaçait les joues, et il s'est mis à danser une petite gigue pour se réchauffer en tapotant ses poches à la recherche de ses clés. Il a ouvert la porte d'un immense hangar et m'a indiqué une cour à l'arrière avec un grand escalier de secours qui ressemblait à une tige de haricot. Nous avons pris l'escalier, mes talons claquant sur les marches métalliques, avant d'atteindre cette hauteur où les bureaux donnent sur des terrasses avec deux ou trois malheureux tournesols décharnés. À l'intérieur, ça sentait le radiateur au kérosène. Il m'a tout de suite prise dans ses bras et embrassée de profil, légèrement penché à gauche, puis à droite, comme s'il voulait m'observer sous tous les angles pour voir où je finissais. « Tu es trop », m'a-t-il chuchoté. J'ai souri devant cet aveu d'adoration – si sérieux, si inattendu –, et il a scruté mon cou comme un vampire avant d'en faire le tour avec la langue tandis que, de la fenêtre en contrebas, la nuit phosphorescente dessinait nos silhouettes. Lui aussi, il était trop.

C'est ainsi que tout a commencé. J'avais un peu plus de trente ans, et si je me lançais dans une nouvelle aventure je voulais qu'elle ait un sens, qu'elle aboutisse à quelque chose, loin de mes amourettes, de mes flirts absurdes et de mes aventures sans lendemain. Bien sûr, je ne m'engagerais pas avec Jake tant qu'il n'aurait résolu le problème de sa petite amie à l'autre bout du monde.

En attendant, je me suis jetée dans la passion la plus torride pour effacer toutes les questions qui se posaient. Ça a marché un temps. Il y eut des rendez-vous au petit matin, des textos à bout de souffle, des baisers si enflammés que nous en étions abasourdis. Des excès de jeunesse avaient obligé Jake à arrêter l'alcool, et je buvais rarement quand j'étais avec lui, mais il me suffisait de le voir pour avoir le vertige. La passion physique effaçait tout, y compris le fait que je sortais avec le petit ami officiel d'une autre. Elle déformait jusqu'au sens des mots qui accompagnaient chacune de nos séparations contrites. Si j'avais écouté attentivement, très attentivement ces mots, plutôt que mon désir, j'aurais compris qu'il n'avait pas franchi le moindre pas vers la rupture avec l'autre et qu'il n'avait à l'esprit aucune intention de durée. Lorsqu'il déclarait qu'il ne voulait pas me faire de fausses promesses, j'aurais dû comprendre que c'était parce qu'il était incapable d'en faire tout court. J'aurais compris que, quoi qu'il pût dire, je fonçais et me fourvoyais en maquillant mes doutes sous le fard de ce que je rêvais d'entendre. Ou était-ce parce que je le savais trop bien ?

Jusqu'au jour où, n'en pouvant plus, je l'ai écouté, et voici ce qu'il m'a dit : « Je ne suis pas amoureux de toi. » Exactement en ces termes et sur un ton tel que je m'en suis voulu d'avoir pensé qu'il l'avait été. La voix que je lui connaissais, passionnée au petit matin ou cassée par le désir en fin de soirée, était soudain lisse et glaciale, sans appel. Hélas, la vérité peut être aussi excitante que le cul, un échange de confidences aussi intime qu'un réveil à deux à la première lueur du jour. Au début, j'ai été hébétée. Puis incrédule. Comment pouvait-il nier le fait qu'il y avait quelque chose de plus profond entre nous ? Étais-je la seule à le ressentir ? Ou est-ce moi qui confondais la luxure et l'amour ?

C'était au début d'un printemps timide, et le désespoir m'est tombé dessus comme une série d'averses entrecoupées de bourrasques. Une fois de plus, je m'étais jetée dans les bras d'un homme qui ne m'aimait pas. Personne ne m'avait dit « je t'aime » depuis Dan, mais personne ne m'avait dit explicitement ce que Jake m'avait asséné : qu'il ne m'aimait pas.

Peu de temps après, je devais de nouveau aller à New York pour être demoiselle d'honneur au mariage d'une amie – quelle ironie ! –, et Jake partait à Barcelone. À mon retour, on se raterait à quelques heures près à Heathrow puisque lui devait filer à Mexico, pour un mariage lui aussi, accompagné de sa petite amie officielle. Face à cette séparation de trois semaines, sachant qu'il serait avec elle, je me disais que notre aventure était une lubie de ma part. Ce serait donc un au revoir, un adieu à un amour qui n'avait jamais été.

J'ai pleuré... bien sûr que j'ai pleuré. Désemparé par mes sanglots, Jake fut même particulièrement prévenant et m'accompagna jusqu'à un taxi en me promettant de passer après son dîner de boulot pour voir comment j'allais. Il a tenu sa promesse, se cognant au passage dans une benne et se retrouvant avec un pare-brise arrière cassé qu'il a dû rafistoler avec du Scotch. Il était 3 heures du matin quand il a débarqué à ma porte. Et quand il est reparti les oiseaux gazouillaient. Il m'a appelée de l'aéroport, puis une fois dans la semaine alors que j'étais à New York.

Après, plutôt que de sortir franchement de ma vie, il s'en est éloigné en dérivant. Nous sommes chacun rentrés à Londres, et je n'ai pas entendu parler de lui pendant deux mois. Têtue, je refusais de l'appeler. Jusqu'au jour où il a téléphoné. J'ai vu son nom s'afficher et j'ai laissé mon portable enregistrer son message. Le lendemain, j'ai rappelé – c'était plus fort que moi –, et quand il m'a proposé de le voir, ç'a été pareil, plus fort que moi.

La ville fondait littéralement sous la canicule. Les pubs ressemblaient à des mirages et les coins boisés du parc le plus proche étaient envahis de gens qui pique-niquaient, écrasés par la chaleur, au ralenti, entourés d'enfants ramollis et de barquettes de salade flasque. Des ballons traversaient le ciel que les footballeurs suivaient du regard et que les chiens avaient trop chaud pour essayer d'attraper, avant de s'écrouler par terre en nage, s'abandonnant à la torpeur ambiante. Le moindre bout de vêtement que je portais était trop chaud, trop lourd, et nous avons fini chez Jake, nus.

Je ne le savais pas à l'époque, mais cette nuit de juillet en fusion resterait gravée dans mon esprit pendant des mois. Si seulement j'avais pu faire une pause pour enregistrer chaque empreinte de ses lèvres, chaque caresse de son pouce rugueux, pour me rappeler nos baisers si avides que nos dents se heurtaient et nos corps si parfaitement enlacés ! Même notre respiration semblait s'épouser à la perfection. Si j'avais su que je signais pour une année d'abstinence, j'aurais peut-être trouvé le moyen de préserver ne fût-ce qu'une goutte de l'essence de cette expérience.

Plus tard dans la nuit, il a plu – un doux bruissement qui s'est intensifié jusqu'à l'aube, quand enfin nous nous sommes endormis, bercés par ce murmure. Lorsque je me suis réveillée, trop tôt pour me sentir reposée, la journée était déjà lourde et moite, comme si la pluie avait été un rêve. Le ciel gris, loin d'être une promesse de soulagement, conservait l'humidité et assourdissait les bruits de la matinée – le hurlement d'un chat, les cris d'un bébé, la première sirène. Quelque part dans le ciel, un avion grondait tel le tonnerre au loin. Ma période d'abstinence venait à peine de commencer.

Était-ce le contrecoup de cet intermède torride ? En tout cas, je me suis bercée d'illusions en me disant que c'était le signe d'un nouveau début plutôt que d'une fin définitive. Pendant deux semaines, nous nous sommes envoyé des textos et nous avons bavardé au téléphone, mais sans nous voir. Le jour de son anniversaire, il m'a avoué qu'il était aux États-Unis. Il m'a même envoyé sa date de retour par SMS, ce qui, d'une certaine façon, était encore plus atroce, comme si je comptais aller chercher à l'aéroport mon amant esseulé.

Je n'avais jamais été mise au parfum de ce voyage, et la distance géographique qui nous séparait était à l'image de la distance émotionnelle, sur laquelle il insistait depuis le début. Verbalement, au moins, il avait été honnête. Je m'étais voilé la face.

En réfléchissant, je voyais bien que le problème était récurrent et venait de moi. Jake en était l'incarnation éhontée, mais le scénario était le même : à peine étais-je allongée dans le lit d'un homme que je perdais le sens de la perspective. Je confondais obstinément conquête d'une nuit et prélude à une belle histoire. Quel que soit mon degré d'engagement, ou celui de mon non-engagement apparent, j'étais incapable de garder la tête froide (ou le cœur froid) dès que la température montait.

Hélas, j'avais l'impression qu'en admettant mon erreur j'abandonnais mes « sœurs ». Je savais que mon droit à la liberté sexuelle avait été conquis de haute lutte. Mais on avait beau crier haut et fort qu'aimer et plaquer un homme comme un homme était une forme de pouvoir, j'avais le sentiment de renier toute une gamme de réactions féminines naturelles, de me forcer à obéir à des normes masculines. Et quel gâchis d'énergie, tous ces pleurs !

Pour Jake, la présence de sa petite amie aurait dû m'empêcher de coucher avec lui. Mais quid du type qui le précédait ? Ma mère, inlassable oreille des récits de mes malheurs sentimentaux, avait concentré sa réponse en une phrase : « Tu couches trop vite. » Pourtant, elle n'est pas franchement prude. C'est une artiste qui a commencé à s'épanouir à soixante ans et elle a rencontré mon père dans une communauté hippie. Et si elle avait raison ? C'est vrai, il y avait un hiatus profond entre les idées que je me faisais de l'amour et des ébats et entre ce que je voulais et ce que je désirais.

J'avais eu ma dose de sexe sans amour ; il était peut-être temps que je cherche l'amour sans le sexe !

Une seule façon d'en faire l'expérience s'imposait à mes yeux : une année de chasteté. La réponse était radicale, mais c'est ce qui m'attirait. Plus j'y pensais, plus l'idée me paraissait intéressante et téméraire. Cela changerait-il le style d'hommes que j'attirerais et leurs réactions ? Est-ce que cela me permettrait de tomber amoureuse en gardant espoir, sans être trop méfiante ? Et serais-je capable de tenir douze mois ?

Puis ce furent les doutes sur l'expérience elle-même. Avais-je vraiment envie de ça ? Allez, on sait tous ce que veut dire une période d'abstinence. En outre, une fois qu'on y est, personne ne s'y trompe. Ça commence par l'impression d'être invisible, d'avoir des contours qui deviennent flous. Ensuite, plutôt que d'habiter votre corps, vous avez l'impression d'hiberner à l'intérieur, que ce corps ne vous appartient pas complètement, qu'il est un souvenir plutôt qu'une réalité. Enfin, c'est une paroi de verre qui vous sépare des autres parce que tout le monde, sauf vous, s'envoie en l'air. Bientôt, la moindre pub à la télé, le moindre récit en première page d'un journal, le moindre tube retentissant dans un supermarché, tous semblent viser les gens normaux, qui couchent, alors que vous, rien.

Pour Voltaire, la chasteté était un vice. Pour Aldous Huxley, une perversion. « Nous finirons peut-être par comprendre que la chasteté n'est pas plus synonyme de vertu que la malnutrition », déclarait Alex Comfort, dont le célèbre manuel a introduit le bondage et le sadomasochisme dans l'Amérique profonde.

Malnutrition ? C'est ça qui m'attendait ?

J'étais en train de me demander si je tiendrais le coup quand une conversation que j'avais eue quelques mois plus tôt m'est revenue en mémoire. C'était avec un de mes amis, Freddy, un type d'une totale honnêteté qui adore faire la fête, aime les costumes rétro et les chaussures à bouts pointus. Nous étions dans un bar architendance où la liste des cocktails était plus longue qu'un roman contemporain, et j'étais en train de la consulter quand il m'a annoncé qu'il était amoureux. J'ai levé les yeux, prudente. Freddie était tombé amoureux plus d'une fois dans sa vie, mais ses sentiments étaient rarement partagés, si bien que j'ai senti mon cœur se serrer en songeant à ce qui l'attendait.

Cela faisait des années qu'il avait un faible pour la fille en question, a-t-il commencé à m'expliquer. O.K., jusqu'ici, rien de nouveau. Ils étaient amis, et la fille préférait en rester là. Ils s'étaient donné rendez-vous pour dîner – un de ces repas sympas où on bavarde allègrement jusqu'au dessert et au-delà. À mesure que le restaurant se vidait autour d'eux, il s'écartait d'elle et l'observait. Il était parfaitement heureux, en tout cas assez pour avouer ce qu'il ressentait sans prendre trop de gants. Il a souri et déclaré : « Tu sais, je m'en fous si on ne couche jamais ensemble. »

Ce soir-là, il est rentré chez lui avec elle, et depuis ils ne se quittent plus. Dans la bouche de Freddie, je savais que ces mots étaient d'une sincérité absolue, et cette fille devait aussi le savoir, sinon, je ne pense pas qu'ils auraient eu un tel écho en elle. C'était exactement le genre d'histoire dont j'avais perdu le sens, me suis-je dit tout à coup. Et, là, c'était bon, j'étais décidée.

Mais jamais je n'aurais deviné ce que les douze mois suivants me réservaient.

# 3

# Septembre ou L'art de s'habiller

« Votre robe doit être assez ajustée pour montrer que vous êtes une femme et assez large pour montrer que vous êtes une dame. »

Edith Head

La femme qui se tient devant moi a une allure typique des années quatre-vingt. Je le vois dans les épaules de la veste, si marquées qu'elles soulignent une certaine fragilité au niveau des clavicules, là où retombe la lavallière de sa blouse en soie. Telle une apparition d'un autre âge, elle disparaît, ni vu ni connu, le temps d'un battement de paupières – bleu électrique. Elle est remplacée par une femme au foyer aisée des années cinquante qui a passé la journée à attendre le retour de son mari. Celle-ci porte un pantalon corsaire qui moule ses formes et un petit pull près du corps, mais les années soixante ne sont pas loin, et elle sera bientôt remplacée par un type de femme plus effrontée : robe droite grimpant sur les cuisses avec audace, mais manteau trapèze pour la cacher.

Ces femmes, c'est moi, et toutes virevoltent devant le miroir d'une cabine d'essayage exiguë alors que je me débats au milieu d'un tas de hauts, de bas et de manteaux d'hiver. Aujourd'hui, me voici donc à la recherche d'une garde-robe de femme chaste. Je ne suis pas dans une boutique de vêtements vintage – je redoute la transpiration des autres –, pourtant, l'écho des époques passées est très présent dans la collection de cette année, comme de presque toutes. La mode masculine n'a jamais surfé sur autant d'extrêmes au cours des siècles. Un costume est un costume, même si le pantalon est un plus serré à la cheville une année ou si la veste a deux et non plus trois boutons l'année suivante.

Un jour, j'ai surpris la conversation de deux hommes, des gamins, qui attendaient leurs copines devant une cabine. « J'ai hâte qu'elles aient trente-cinq, quarante ans, avoua l'un en imaginant ce qui devait lui sembler un âge épouvantablement lointain. On leur montrera les photos de ce qu'elles portent aujourd'hui en se marrant – genre, quand tu vois des photos de tes parents. » Le second a ri, avant d'ajouter avec une compassion étonnante pour un garçon qui passait un samedi après-midi dans une boutique de vêtements pour femmes : « On a du pot, nous, les mecs. Avec un pantalon et une chemise, on peut difficilement se planter. »

En effet, le ridicule n'est jamais très loin quand il s'agit de la mode féminine. Voici ce qu'écrivait Elizabeth Stuart Phelps en 1873 dans *What to Wear*[1] ? « La jeune fille à la mode que nous voyons sautiller sur Broadway offre un spectacle surprenant et atterrant. Ce sont ses vêtements qui la façonnent, jamais elle qui façonne ses vêtements. Incapable de porter des accessoires, elle en est comme tapissée. Incapable de se draper, elle est encombrée. Incapable de marcher

1. « Que porter ? »

avec allant, elle se pavane. Elle ne possède aucun attribut qui la rapproche de la nature ou de l'art véritable. Loin de reposer l'œil comme une fleur ou de le réjouir comme un tableau, elle l'épuise comme un kaléidoscope. C'est un feu chimérique d'effets ratés. »

Quant à moi, je pourrais me métamorphoser au choix en sirène des années soixante-dix, femme fatale des années quarante ou figure maternelle, terrienne et rassurante, enveloppée dans un grand cardigan cachant mes formes, comme ma mère sur les vieilles photos passées où je suis un bout de chou emmailloté dans ses bras. Ici, dans cette cabine, chaque cintre représente la possibilité d'une subtile réinvention de soi. Le choix est époustouflant. Je suis en proie à une légère panique me rappelant un étrange cauchemar qui me hantait quand j'étais enfant – étrange parce qu'il s'agissait aussi d'une surabondance de vêtements.

Petite fille ayant grandi dans un cottage dans le nord du Norfolk, sans chauffage central, je portais des fringues cousues et tricotées à la main qu'on se repassait entre voisines. Si j'avais un vêtement neuf et acheté dans une boutique, je le portais jusqu'à l'usure totale. Il serait logique d'imaginer qu'une telle frustration donne naissance à des envies frénétiques. Or ce fut le contraire. Je redoutais l'idée d'avoir tellement d'habits qu'un jour j'oublierais quelque part une jupe ou un pantalon de velours à pattes d'eph (la mode mettait un certain temps à arriver jusqu'aux terres humides des plaines marécageuses d'East Anglia). C'était mon cauchemar, au sens littéral, et souvent je rêvais que j'ouvrais un tiroir et tombais sur le vêtement que j'avais peur d'oublier, parfaitement plié, jamais porté, source d'une mélancolie lancinante qui se prolongeait jusqu'aux premières heures de la journée. Comme si j'avais négligé d'exploiter toute une partie de moi-même.

Le même sentiment de culpabilité m'envahit alors que j'examine les tenues suspendues ou entassées dans la cabine. Je n'ai pas de petit copain qui m'attende à l'extérieur en rongeant son frein. En revanche, ma sœur, une des rares personnes à qui j'ai révélé mon vœu, est là. Non pas que j'aie l'intention de garder ce vœu éternellement secret, mais je préfère m'accorder le temps de m'habituer à cette nouvelle réalité. Je suis moi-même étonnée : on ne peut pas dire que j'aie été très discrète sur ma vie sentimentale jusqu'ici. Déjà quelque chose a changé. En outre, je me prépare à ce qu'on me décoche quelques flèches railleuses.

Ma sœur, elle, ne s'est pas moquée de moi. Elle vit seule, en tout cas en ce moment, et sa réaction a été en partie une preuve de solidarité enthousiaste, en partie un réflexe de compétition. « Une année ? Je parie que je te bats », m'a-t-elle répondu avec assurance.

J'ai trois ans de plus qu'elle, et, d'une certaine façon, c'est moi qui ai signé la fin de son enfance. C'est moi qui lui annonçais que nous étions déjà à la moitié des vacances d'été, moi qui lui ai parlé de la mort le jour où l'un nos cochons d'Inde s'est tu avant de devenir léger comme une plume. Je me revois aussi lui proposant un cours sur « comment on embrasse ». Aujourd'hui, alors que nous travaillons dans des domaines différents (moi, l'écriture, elle, les images, puisqu'elle est réalisatrice), les rôles se sont inversés. Comme d'habitude, c'est moi qui fonce la première, mais à mesure que j'accumule les erreurs c'est elle qui en tire les leçons et me les transmet. Parfois, j'ai l'impression d'y avoir gagné une grande sœur.

À l'école, c'était toujours moi qui m'adaptais parfaitement. J'avais juste ce qu'il fallait d'amis, j'étais discrète, mes devoirs étaient faits dans les temps. Ma petite sœur, elle, tirait le capuchon de son duffel-coat rouge sur sa tête et se planquait dans le coin de la cour de récré en rêvant d'être ailleurs, dans une maison hantée, dans la forêt de Hansel et Gretel, peu importe. Face à une situation identique – le fait d'être des étrangères dans une communauté rurale ultra-insulaire, envoyées à l'école du coin avec des sandwiches au pain complet et des noms bizarres cousus sur le col de nos manteaux –, notre réaction fut instinctive, mais elle a façonné notre personnalité profonde. Ma sœur est toujours l'artiste rebelle, et moi celle qui cherche à se fondre dans la masse. Je ne résiste pas à la tentation d'être aimée. Les psychologues ont inventé un mot pour caractériser ce comportement, le « monitorage de soi », et je peux témoigner que dans la vie sentimentale cela donne des résultats assez calamiteux. Les gens qui ont un monitorage faible, autrement dit, qui dépendent du regard des autres, ont des rapports humains moins stables et moins satisfaisants. Typiquement, les petits amis de ma sœur ont été beaucoup moins nombreux mais infiniment plus dévoués que les miens.

Voilà pourquoi je peux essayer des tenues aussi différentes et avoir l'air correcte dans la plupart : à cause de ce côté caméléon. Cependant, je remarque certains points communs parmi les habits que j'ai sélectionnés. Ce sont tous des vêtements généreux, voire volumineux. Tous sont doublés de soie, mais j'ai choisi des tissus costauds, rugueux, comme le tweed, la laine, la flanelle épaisse, rien de vaporeux ni de trop léger.

Mon réflexe de jeune femme chaste est donc de m'envelopper et de me cacher, ce en quoi je suis synchrone avec la tendance, sinon avec le temps qu'il fait. Dans les parcs, les jardins clos, le Common que j'ai traversé pour venir, les feuilles commencent à peine à virer aux couleurs de l'automne. Dehors, des mamans, des petits enfants et des adolescents amoureux se baladent bras nus et en tongs. Le soleil brille, on déguste des glaces, mais les ombres s'allongent un peu plus tôt dans la journée et les fins d'après-midi sont fraîches. La nature se ferme et se prépare pour une période de jachère, un peu comme moi. Me savoir en accord avec elle est une profonde source de réconfort.

J'enfile la tête dans le long entonnoir d'un col roulé en mohair, les cheveux hirsutes et pleins d'électricité statique, quand soudain je comprends que j'ai besoin de me chouchouter, de me cocooner. Or le cocooning n'est-il pas une tendance reconnue sur les podiums des défilés de mode ? Après des années d'ourlets de plus en plus courts, de tailles de plus en plus basses et de robes taillées à la va-comme-je-te-pousse, le chic est de s'emmitoufler dans de longues doudounes et sous des couches de lainage. Les robes sont souvent très courtes mais amples, comme les robes de femmes enceintes d'antan, et elles se portent avec des leggings qui font la part belle à l'imagination.

Suzy Menkes, vieille routarde de la critique de mode qui suivait les collections automne-hiver de cette année pour le *New York Times*, établissait un lien entre cette mode et le goût des filles pour les jupes portées au-dessus de pantalons. « Cette tendance à se cacher ne vient pas des stylistes. Elle semble née spontanément à partir de la façon dont les femmes musulmanes s'habillent, comme si les femmes occidentales réagissaient à dix ans d'exhibition de soutiens-gorge et de vêtements transparents. »

Derrière le retour des leggings, elle voit plus qu'une nostalgie de mannequins et l'engouement d'une génération de *fashion victims* qui ont traversé des hivers entiers en grelottant. « On ressent un besoin de protection, écrit-elle. Alors que dans les années quatre-vingt, les leggings étaient le fruit de nouvelles matières et correspondaient à l'explosion des boîtes de nuit, aujourd'hui, elles incarnent quelque chose de plus profond une façon, non seulement d'apporter une touche finale à une tenue, mais de nous aider à affronter le monde extérieur. »

Le concept de cocooning correspond parfaitement à ce que j'entreprends. Il n'est pas question pour moi de renier ma sexualité ni de la remiser dans un placard au milieu des boules antimites. L'idée est plutôt de repenser mon rapport à la sexualité. Non, je ne me suis jamais pavanée dans Londres avec des jupes à ras le bonbon et des décolletés vertigineux (pour autant, je n'ai rien à redire s'il plaît à quiconque de s'habiller ainsi), mais j'ai toujours cherché à être sexy, ce qui allait de pair avec une impression d'inconfort permanente : élancements aux pieds pour avoir couru avec des talons de huit centimètres, petit courant d'air froid qui s'engouffre entre les seins…

« Si c'est un soulagement pour vous de vous déshabiller le soir, c'est qu'il y a quelque chose qui cloche, écrit Ellen Henrietta Richards, première femme américaine diplômée en chimie, dans les années 1870. Les vêtements ne devraient pas être un poids. Ils devraient être une source de confort et de protection. » Le fait est qu'en cette fin d'époque victorienne les femmes devaient rarement se sentir bien, engoncées dans leurs corsets malgré les efforts décriés de la Rational Dress Reform Society, qui affirmait que nulle femme ne devrait être obligée de porter plus de trois kilos de dessous.

Aujourd'hui, je choisis des vêtements qui vont épouser ma nouvelle personnalité, mais, au fur et à mesure que se déroulera cette année d'abstinence, je découvrirai qu'ils sont moins innocents qu'ils n'en ont l'air, qu'au-delà des plis ils mettent en valeur une féminité de femme plutôt que de fille, une féminité plus mûre, plus subtile, plus personnelle, qui demande quelque chose de beaucoup plus compliqué que se résigner à subir l'inconfort.

À part les nippes que j'ai empruntées pour dormir – un tee-shirt d'homme çà et là –, la dernière fois que j'ai accepté qu'on me voie dans un machin aussi gigantesque que ce pull doit remonter à mon adolescence. Sur les photos de famille, c'est à l'âge de treize ans que ma silhouette commence à se faire un peu floue, cachée par d'énormes sweat-shirts et soulignée par une mauvaise humeur ostensible. Ma sœur sourit, radieuse, tandis que je me tiens systématiquement en retrait. Manifestement, je suis déchirée entre l'enfant ravie et l'adolescente timide et gauche.

À l'époque, il était impossible de voir et d'effacer instantanément une image. La moindre photo d'amateur n'allait pas sans un long processus : sortir la pellicule, aller la déposer chez Boots où elle était enveloppée dans un sachet comme la preuve dans une enquête policière, puis retourner la récupérer quelques jours plus tard pour réclamer cette série d'instants fixés sur papier brillant, mais déjà oubliés. Plus tard, le processus a été réduit à quelques heures, mais il était toujours porté par une alchimie qui n'existe plus. Me voilà donc ado avec un pantalon Pepe Jeans et un sweat-shirt Benetton dix fois trop grand pour moi, hurlant à l'objectif que je déteste cette photo, que je détesterai la suivante, et encore la suivante. J'ai l'air grosse, plouc, telle la fille bourrée d'acné qui se retrouve à la traîne quand il s'agit de sélectionner les équipes en cours de gym, celle avec qui personne n'a envie d'être couplée pour les sorties de classe. J'ai passé toute ma vie d'écolière et de lycéenne à tout faire pour ne pas être cette fille-là, à tel point que rien que l'idée de lui ressembler était presque pire.

Cette tendance impitoyable à l'autocritique est restée ancrée en moi jusqu'à l'âge de mes premiers soutiens-gorge, quand j'ai eu le droit de sécher les séances de piscine une fois par mois. Devenir une femme, c'était acquérir un regard d'une cruauté sans égale sur les autres femmes, tout en réservant son venin le plus amer pour celle qu'on avait face à soi dans le miroir. D'où cela venait-il ? Dans mon cas, sûrement pas de mon éducation. Ma mère avait cessé de se maquiller avant ma naissance et recommencé à mettre du rouge à lèvres alors que moi-même j'achetais mes premiers tubes. Je ne pense pas non plus que cela venait de notre père. Nous avions beau vivre dans la même maison, sa présence était aussi évanescente que celle d'un fantôme, et il vaquait à ses occupations de son côté. Si l'occasion se présentait – en général, dans la voiture, à mi-trajet –, il déclarait qu'il n'avait jamais voulu d'enfants. Ma sœur et moi, nous étions calées sur la banquette arrière et nous connaissions le refrain par cœur : son indifférence avait au moins l'avantage d'être cohérente.

À seize ans, je portais des cardigans d'homme dont je remontais les manches en les enroulant en d'épais bracelets, et dont les poches déformées pendouillaient jusqu'aux genoux. C'était l'époque des Doc Martens, mais, plutôt que la version boots que mes copains portaient en les couvrant de fleurs dessinées au Tipp-Ex, je préférais les chaussures qui ressemblaient à des godillots de personnages de BD, vu que je les portais avec des collants criards qui accentuaient leur côté écrase-merde. Je portais des jupes pleines de fleurs et de fronces, et plus je grandissais, plus elles raccourcissaient, parfois réduites à la taille d'une cantonnière, comme un faux-cul dépassant sous des pulls trop grands, bientôt remplacés par des tops en Lycra.

Aussi étrange que cela puisse paraître, ce type d'accoutrement de vilain petit canard était une espèce d'uniforme qui me reliait à une bande d'ados dont les prénoms étaient, au choix, Ocean, ou Dante – ou Hephzibah. Ensemble, on formait une petite troupe vaguement hippie, soi-disant artiste, et un chouïa gothique, dont les parents étaient pour la plupart « venus d'Ailleurs ». Il existait une version sport de cet uniforme : baskets, hauts de survêtements et gilets de mecs en été. C'est l'âge où l'on se prépare à sortir de son cocon avant de prendre exemple sur les filles plus audacieuses, celles qui arrêtent l'école dès qu'elles peuvent. Mais pour l'instant nous nous réfugiions sous cette panoplie androgyne et grunge.

Parmi les garçons, un certain Chris, celui qui avait les cheveux les plus noirs et les plus gominés, m'avait fait savoir qu'il en pinçait pour moi, mais après avoir pris la peine de tailler ses longues boucles pour avoir l'air plus sérieux. Nous sommes « sortis ensemble », certes, sauf que ça se résumait essentiellement à traîner au lycée et à se lancer dans des discussions sans fin sur des sujets gravissimes. Ses parents venaient de se séparer, les miens étaient en train d'officialiser leur divorce, et nous tentions de construire une relation à partir de cette matière qui n'était pas de très bon augure.

Il venait d'avoir son permis de conduire, et je me rappelle les retours à la maison tendus dans la nuit noire des routes de campagne après des virées en groupe dans les pubs, assis côte à côte alors que la voiture exsudait un mélange malsain de timidité et d'hormones. À peine arrivée, trop soulagée (lui aussi), je sautais de la voiture pour me précipiter sur la porte d'entrée, souvent ivre. Il n'a jamais eu le courage d'essayer de passer à l'étape suivante ; quant à moi, ravie d'avoir été choisie par lui, je vivais sur un petit nuage.

Avant Chris, le seul garçon ayant montré un peu d'intérêt pour moi était un certain Alex, à la voix aigrelette, que ses parents avaient retiré de notre lycée un peu mouvementé pour l'envoyer dans une boîte privée réservée aux garçons. Chris, lui, était un peu le roi du lycée, le style de personne qui a l'honneur d'être appelée par son prénom et son nom, comme si l'appeler simplement Chris était un manque de respect. Jamais je n'aurais osé ébaucher un geste pour aller plus loin avec lui. Cela dit, si j'y avais réfléchi, j'en aurais conclu qu'il me touchait, mais je n'étais pas vraiment amoureuse. Je n'avais jamais senti avec lui le petit malaise d'excitation que j'allais éprouver en voyant le garçon qui lui succéderait.

Un jour, il m'a écrit une lettre sur une feuille de papier à carreaux que j'ai conservée, même si l'encre bleu cobalt a pâli et si ses *t* aux étranges pleins et déliés la rendent difficile à lire (je me demande ce qu'en dirait un graphologue). C'est une déclaration d'amitié truffée d'aveux comme quoi il se sent penaud et beaucoup trop prudent. Je considère que c'est ma première lettre d'amour, même s'il me l'a envoyée après notre « rupture ». Celle-ci a eu lieu dans un bus alors que nous revenions d'une fête dans une boîte ; on avait du mal à s'entendre, et il faisait si sombre qu'on se voyait à peine. Il m'a expliqué qu'il avait besoin de se concentrer sur son boulot, autrement dit, il me larguait pour les beaux yeux non pas d'une autre, mais de Bismarck. Il avait l'air sincère, du reste, il a passé le reste du trimestre enfermé dans la bibliothèque du lycée.

C'était mon orgueil qu'il avait touché chez moi, et c'est mon orgueil qu'il a blessé. Cette nuit-là j'ai beaucoup pleuré. Et le lendemain je suis allée m'acheter un rouge à lèvres écarlate, premier article d'une réserve d'achats de consolation et de choses diverses pour remonter le moral qui finirait par inclure paires de pompes pas possibles ou billets d'avion. Nous nous étions séparés vierges, mais nous avions perdu notre innocence en chemin. Désormais, j'avais les idées un peu plus claires sur ce que je pouvais représenter aux yeux des garçons. Les dix-huit mois qui ont suivi, j'ai consciencieusement débarrassé ma garde-robe de tout ce qui était dix fois trop large pour ne garder qu'un immense gilet de laine noire feutrée. Je m'y suis accrochée pendant des années, alors qu'il était bouffé aux mites, pour m'y réfugier dès que l'image de mon moi en prenait un coup, après avoir raté une dissertation, par exemple, ou, plus tard, rendu un article dont je n'étais pas contente, et aussi dès que je me faisais larguer.

Si l'on demandait aux femmes pour qui elles s'habillent, la majorité d'entre elles répondraient sans hésiter que c'est pour elles-mêmes. Sauf qu'en fait nous nous habillons pour un public : soit pour nous y fondre, soit pour nous en distinguer, soit encore pour l'impressionner. Ce public n'est pas un public d'hommes. La preuve ? Essayez de vous rappeler la dernière fois où vous êtes allée faire des courses de fringues avec un hétéro. Que choisissait-il ?

Je me souviens d'un dimanche, il y a des lustres, où un type qui joua brièvement le rôle de petit copain me demanda si j'avais déjà pensé à porter un bracelet de cheville. Nous étions allongés au fond de son lit entourés de journaux, de bagels et de saumon fumé. Un bracelet de cheville ? Il a laissé tomber son journal et entouré ma cheville avec ses doigts pleins d'encre pour me montrer à quel point ce serait irrésistible. Cet homme m'avait séduite parce qu'il était drôle et me faisait rire de presque tout, mais brusquement son regard a trahi un sérieux terrifiant.

Un jour, un autre réussit à me convaincre d'entrer avec lui dans une boutique de prêt-à-porter féminin. Nous faisions des courses et avions acheté des tonnes d'affaires pour lui, mais rien pour moi. J'ai découvert que le type était un fonceur, et, comme tous les fonceurs en série, il a commencé par se montrer d'une attention excessive, presque angoissante. Inconsciemment, il devait sentir que je préférais garder mes distances, réticente à l'idée de faire des achats à deux. Je suis peut-être bizarre, mais il faut que je sois particulièrement proche d'une personne pour faire des courses avec elle. En plus, ce jour-là, je n'avais pas envie d'acheter quoi que ce soit. Hélas, car l'homme qui me chaperonnait était impossible à freiner, surtout quand il a repéré de charmantes petites blouses paysannes (vous vous souvenez de cet été où on ne voyait qu'elles ?).

« Tu n'aurais pas envie de porter ça ? » m'a-t-il demandé, tirant un truc qui ressemblait à un ballon couvert de paillettes et de pompons, et qui aurait pu être aussi bien une robe, une tunique ou une jupe trop ample, le genre de tenue portée par de jolies laitières aguicheuses gambadant dans les prés. Tout juste si je n'ai pas senti une bouffée d'air pur de la montagne. Quant à mon chaperon, c'est comme si j'avais eu un aperçu de sa vie intérieure dans laquelle je jouais le rôle d'une femme qui n'avait rien à voir avec moi.

Pourtant, une expérience similaire s'est produite avec un homme dont je pensais qu'il me connaissait bien mieux, un homme qui est devenu une de mes bouées de sauvetage dans l'océan de mes mésaventures sentimentales. Appelons-le Bel Ami, histoire de donner une idée de son panache teinté d'excentricité et de ses tenues impeccables, sans compter le fait qu'il a vingt ans de plus que moi. Américain, toujours un peu gamin, ce navigateur amateur mais chevronné adore les mers plus clémentes de notre vieille Europe. Il travaillait dans l'informatique, mais à un moment il s'est débrouillé pour larguer les amarres. Aujourd'hui, il s'accorde régulièrement de petites escales sur terre et en général m'appelle au moment où je m'y attends le moins. Avec les années, nous nous sommes rapprochés au point d'être sérieusement engagés, et à ce moment-là nous étions dans une zone grise, y compris cette soirée glaciale de janvier, à New York, quand soudain il s'est arrêté devant la vitrine d'une boutique de SoHo.

Il faisait un froid de gueux, un blizzard gelé soufflait qui empêchait les avions de décoller, il faisait tellement froid que nous avions renoncé à aller à une fête la veille, préférant rester à regarder des DVD, tout, plutôt que d'avoir à remonter quelques pâtés de maisons. Bien entendu, il faisait aussi dix fois trop froid pour faire du lèche-vitrine, d'où ma stupeur en le voyant en arrêt, tout sourire, devant un mannequin qui portait un tailleur de femme active superétriquée, minijupe et pinces ultraserrées sous la poitrine. L'ensemble était à contre-courant et de la mode et de la météo.

« Tu aurais l'air fabuleuse, là-dedans », m'a-t-il lancé, la voix étouffée par plusieurs tours d'écharpes autour du cou et la tête noyée sous un bonnet tibétain qu'il venait d'acheter alors qu'il mourait de froid.

Mais revenons-en à mon point de départ : pour qui nous habillons-nous ? Ce n'est donc pas pour les hommes, mais pas non plus pour les femmes. C'est contre elles. Car seules les femmes sont à même d'apprécier la coupe de votre nouveau top ou le rouge framboise subtil d'un pull pour lequel vous avez craqué malgré le prix. Hélas, leur appréciation cache toujours une petite arrière-pensée, un vieux fond de rivalité qui a trait au sexe. Non, nous ne sommes pas prêtes à porter des bracelets de cheville, mais nous sautons avec allégresse dans le train de la compétition en affichant une féminité qui peut être perçue comme menaçante. Vous ne trouvez pas qu'il y a quelque chose d'agressif dans les tenues superéchancrées des filles qu'on appelle les WAGs, soit les femmes et les fiancées de nos footballeurs préférés ?

J'ai pris un exemple extrême, me direz-vous, c'est vrai, mais ma réaction vis-à-vis des deux vendeuses ce fameux jour de septembre où j'ai décidé de changer de garde-robe va tout à fait dans mon sens. Certes, le client est roi, mais toutes deux étaient plus jeunes que moi, et beaucoup plus jolies. Du coup, quand, au milieu des vêtements de laine bien épaisse que j'avais sélectionnés, elles sont tombées sur un bout de soie qui leur a filé entre les doigts, j'ai été bêtement soulagée. C'était une blouse vaporeuse au prix exorbitant que j'avais embarquée dans la cabine sur un coup de tête. Ma sœur, qui m'observait, a parfaitement saisi mon sourire triomphal, et tout de suite j'ai lu dans ses pensées : ça, un signe de chasteté ? Plus qu'on ne pourrait le penser. La blouse avait des boutons qui permettaient de la fermer jusqu'en haut, et ses manches couvraient les épaules avec élégance.

Autre objection possible : pourquoi, après avoir pris une décision aussi intime, changer de look ? À cela je répondrai :

les vêtements sont pour nous, les femmes, un moyen d'affirmer au monde ce que nous sommes, ou ce que nous voudrions être. En tant que tels, ils sont donc une forme de langage, et, si nous les laissions faire, ils pourraient parler à notre place. L'actrice Emma Watson répondait ainsi à une journaliste du *Daily Mail* : « L'idée générale d'être sexy me gêne et me trouble. Dès que j'ai droit à un shooting, les gens s'échinent à me transformer : ils me teignent les cheveux en blond, m'épilent les sourcils, me proposent une frange. Ensuite, il faut choisir les vêtements. Je sais que tout le monde rêve de me voir en minijupe. Simplement, ça n'est pas moi. »

Non pas que nous soyons ce que nous portons, mais ce que nous portons finit par devenir nous-mêmes, y compris si cela ne nous va pas. Fouillez un peu dans votre garde-robe. Sur quoi tombez-vous ? Sur un jean supermoulant, celui qui vous allait parce que le jour où vous l'avez essayé vous étiez dans une période extramince. Ensuite, c'est la robe qui vous oblige à rentrer vos épaules pour que les bretelles en soie fines comme des spaghettis ne glissent pas. Or la façon de mettre en valeur ses épaules est déterminante et elle peut donner une allure folle, même un soir où tout ce dont vous rêvez, c'est de vous affaler devant la télé. Voilà, nous y sommes, c'est la robe qui a ouvert la voie à votre nouvelle personnalité de femme, envoyant les premiers signaux qui se sont répandus bien au-delà de vous, et transformant peu à peu la façon dont vous vous sentez dans votre peau.

Si j'avais voulu, pour inaugurer cette année de chasteté, j'aurais pu ouvrir mon ordinateur et commander une panoplie chez ModesTee. C'est une entreprise américaine, dont le siège est dans l'Utah, qui vend des sous-vêtements explicitement conçus pour être portés sous des habits trop « révélateurs » ou dont le tissu est trop transparent, comme ma fameuse blouse. ModesTee propose également une ligne de robes baptisée Sweet Innocence, en satin, jersey ou mousseline, qui au premier coup d'œil semblent venir de n'importe quel site ou catalogue de vente par correspondance. Sauf qu'en y regardant de plus près vous remarquerez que les jupes couvrent systématiquement les genoux, que les hauts ne sont jamais entièrement bras nus et les encolures assez couvrantes pour dissimuler les salières. Enfin, ModesTee propose des maillots de bain avec « couverture totale des fesses » et jupette en option, au cas où.

Facile de ricaner face à une telle entreprise. Nous, femmes libérées, jetons un regard immédiatement suspicieux sur quiconque, homme ou femme, cherche à cacher nos formes. Par ailleurs, qui n'a pas envie d'applaudir en apprenant que des femmes afghanes portent des talons hauts sous leurs burqas alors qu'elles crapahutent le long de routes infestées d'ornières ? En 1730, lady Mary Wortley Montagu, dont la correspondance est comparable à celle de Mme de Sévigné, résumait l'essence de cet esprit de rébellion sans âge dans son fameux *Résumé du conseil de lord Lyttelton* : « Que tes vêtements soient simples et ton régime sobre. En bref, ma chérie, embrasse-moi et tais-toi. »

Aujourd'hui, nous continuons à n'envisager cette rébellion qu'en termes d'un déshabillage sans fin, mais, d'un point de vue historique, les habits qui choquent le plus sont ceux qui brouillent la distinction homme-femme. Ce type de vêtement était en général endossé par des femmes qui revendiquaient les mêmes privilèges et les mêmes chances que celles offertes aux hommes. Jeanne d'Arc estimait que l'habit ne représentait pas grand-chose ; quand on lui reprocha de porter un vêtement d'homme, elle répondit : « Je suis contente de celui-ci, puisqu'il plaît à Dieu que je le porte. » Elle se trompait. Parmi tous les méfaits dont les Anglais accusaient ce jeune franc-tireur, son habillement prêtant à confusion était ce qui les rendait le plus fou.

Le costume des femmes demeure un champ de bataille permanent. Car, à l'origine, il est à la croisée de deux idées contradictoires : d'une part, la volonté des hommes de contrôler la sexualité féminine et la fertilité menaçante qui va avec, d'autre part, le préjugé selon lequel elles-mêmes sont incapables de maîtriser cette fertilité mais ont le devoir de contrôler leur appétit sexuel et sont priées de se dissimuler sous peine de provoquer la passion de la gent masculine. Bien entendu, la plupart des accoutrements conçus pour voiler la femme attirent d'autant plus le regard, quand ils ne deviennent pas des objets de fétichisme, telles les ceintures de chasteté ou les pieds bandés.

Au regard d'une histoire aussi chargée, mes attentes à moi sont raisonnables. Je souhaite simplement des tenues assez confortables pour me donner le temps de trouver le style d'image que j'ai envie de projeter, d'apprendre à faire ce que la sévère Mme Phelps conseillait : façonner moi-même mes vêtements plutôt que les laisser me façonner.

À vrai dire, ma fameuse blouse ne pouvait tomber mieux au moment où je me préparais pour un rendez-vous galant. Je parie que vous pensez que je délire : me précipiter pour rejoindre un homme alors que je viens tout juste de m'embarquer pour cette année de chasteté ? La réponse est oui. Elle est due en partie au fait que je lutte toujours pour m'extirper Jake de la peau. La dernière fois que je l'ai vu, c'était il y a deux mois, six semaines et cinq jours exactement. Du reste, il est temps que je cesse de compter, justement. En vérité, je suis fidèle à mon vœu. Même si je donne l'impression d'aller contre, je sens que j'ai besoin de le mettre à l'épreuve.

Plus le rendez-vous approche, plus ma volonté faiblit. Est-ce parce qu'ils sont artificiels que ces rendez-vous, ces fameux *dates*, sont une expérience si refroidissante ? Les Américains ont bâti un véritable code de conduite en la matière, mais nous, les Anglais, sommes infoutus de nous y tenir. Ça ne cadre pas avec notre mentalité. Ces rendez-vous ont un côté formel et guindé contraire à notre goût de l'autodérision.

Le fait est que mon expérience la plus désagréable a eu lieu avec un Américain. Il était plus âgé que moi, et, son boulot consistant à gérer d'énormes sommes d'argent et à mener d'immenses équipes de gens difficiles, il avait tout planifié. Nous nous étions donné rendez-vous sur la South Bank pour aller voir une expo d'installations à base de néons, de quoi apporter une vague touche glamour illuminant le creux de l'hiver. À mesure que nous nous arrêtions sagement devant chaque œuvre, je prenais conscience que j'avais beau avoir été assise à côté de lui plusieurs fois au cours de dîners, je ne le connaissais ni d'Ève ni d'Adam.

Voilà qui aurait pu m'exciter, or ce fut le contraire, j'ai paniqué. Il avait réservé une table dans un restaurant sophistiqué donnant sur la Tamise, qui coulait dans la nuit. J'ai eu droit à un flot de questions, évidemment destinées à empêcher que j'aie le moindre aperçu sur ce qu'il cachait derrière son armure. Sans vraiment m'en rendre compte, je répondais un peu sur le même mode, en en rajoutant et en minaudant, créant une barrière entre lui et moi grâce à toutes les petites anecdotes charmantes que je resservais à chaque nouveau rendez-vous. Au moment où il m'a dit au revoir d'un baiser à peine effleuré sur ma joue, je n'étais plus qu'un hologramme de moi-même, un autoportrait au néon, brillant mais largement faussé.

Bizarrement, plusieurs mois plus tard, après avoir rédigé un récit drolatique en brodant à partir des détails révélateurs de cette soirée catastrophique (il m'avait déposée devant un arrêt de bus plutôt que d'avoir à conduire dix minutes de plus pour me laisser devant chez moi), j'ai appris par un ami commun qu'il pensait que je sortais avec quelqu'un. Peut-être essayait-il de se racheter, car je me demande ce qui avait pu lui mettre une telle idée en tête.

C'est à cause de ce que je portais, en ai-je alors conclu. Je sortais du bureau et j'avais un pull en cachemire, plutôt près du corps mais à col roulé, et une jupe dont le velours gris colombe aurait volontiers virevolté si j'avais dansé sur une piste, mais qui retombait sagement sous le genou dans la plupart des scénarios, genre quand je dînais, et surtout si j'étais un peu à cran.

Ce soir, je ne peux m'empêcher de penser au fiasco de cette soirée néon alors que je me prépare à quitter mon bureau pour affronter ce nouveau rendez-vous. Me voyant ramasser deux ou trois livres sur mon bureau, une collègue me demande ce que je compte porter, avant d'avoir la délicatesse de changer de sujet. En fait, voici ce que je porterai : un sourire un tantinet las, un pantalon marron foncé, le genre bien large, parfait pour une soirée cata, et un pull noir à… col roulé. Ce qu'elle ne sait pas, c'est que je porte aussi ma nouvelle blouse, un délice de pure soie, caché, mais tout doux contre ma peau.

Le type avec qui j'ai rendez-vous s'appelle Mark ; c'est un ami d'ami. Nous nous sommes rencontrés brièvement au cours d'un déjeuner organisé pour, et après avoir effectué les tests préliminaires – longs regards appuyés et discrète évaluation mutuelle – nous avons décidé de passer à l'étape suivante – seuls. Il a plus ou moins mon âge. Il est intelligent, attentif et plutôt beau gosse dans le genre calme qui ne fait pas de vagues. Il est biologiste marin… « Indiana Jones version aquatique, me susurre une petite voix. Imagine, trop canon dans une combinaison ! » Au moment où je m'assieds en face de lui au restaurant (un turc), je ne peux m'empêcher d'y penser, tout en remarquant que mon corps, lui, ne manifeste pas le moindre signe de curiosité.

C'est peut-être ça qui manque, ce petit pincement d'attirance physique. Approchez-vous, écoutez : vous nous entendrez bavarder, bavarder jusqu'à plus soif. Mais la fluidité de notre conversation est ce qui nous trahit : nous sommes terrifiés à l'idée que le moindre silence s'installe entre nous.

Que se passerait-il si nous le laissions s'installer, justement, si, dans l'espace entre nous, ne résonnaient plus que le cliquetis des couverts et les voix des clients dînant autour de nous ? Ça provoquerait un abîme entre nous ou ça nous rapprocherait ? Et si le silence et la distance étaient le test suprême ? Imaginez un type de *speed dating* alternatif où les deux personnes resteraient assises sans un mot, tellement concentrées sur les réverbérations cosmiques vibrant entre elles qu'elles n'entendraient pas le minuteur annonçant que c'est le moment de changer de chaise…

Mon rendez-vous avec Mark n'est pas un *blind date*, un rendez-vous aveugle, cela dit, je le trouve un peu myope. Nous avons tellement envie de nous prouver que ce dîner n'a rien, mais vraiment rien d'un rendez-vous organisé, que nous arrivons presque à y croire. Au moment où enfin les mezze arrivent, notre sympathique petite tchatche a bifurqué vers un sujet rassurant : le boulot. J'ai l'impression de dîner avec un collègue qui vit dans une autre ville. « Faire l'amour, c'est manger, et manger, c'est faire l'amour », écrivait Casanova. Quand le serveur vient pour débarrasser en nous proposant un café, nos assiettes sont loin d'êtres vides.

En sortant du restaurant, je me résigne à rentrer en bus, jusqu'au moment où j'aperçois un taxi libre qu'aussitôt je hèle. Je propose à Mark de le déposer devant une bouche de métro, et il accepte. Peu après, nous ralentissons devant un feu rouge, et il se penche pour me claquer la bise tout en fouillant d'une main dans sa poche pour trouver son portefeuille et ouvrant la portière de l'autre. Soudain, il bondit et plonge au milieu du trafic à trois voies. Les moteurs grondent au milieu des éclats métalliques et des phares enragés, et brusquement la portière se referme en claquant. Cascade absurde, entre Milk Tray Man[1] et Austin Powers. Seule dans le taxi, je songe que les hommes sont eux aussi tenus de jouer certains rôles. Quant au mien, lequel fut-il ce soir-là, en cette sortie ouvrant ma période d'abstinence ? Il faudrait le demander à Mark, mais il est probable que c'était celui de rat de bibliothèque.

Une fois chez moi, j'enlève mon pull et tombe sur ma jolie blouse noire. Hélas, elle a déjà l'air usée, toute froissée sous les bras, son joli col complètement déformé à cause du pull à col roulé. Je ne regrette rien, parce que, pendant que j'étais assise à papoter et à lorgner mon cavalier au-dessus d'un pince-nez invisible, je savais que je l'avais sur moi, comme une présence rassurante.

En vérité, ce dîner avait été tellement agréable et inoffensif qu'à mes yeux il était sinistre. Mark n'était pas Jake, et, tant que ce n'était pas lui que j'avais en face de moi, ça

---

1. Référence à une publicité pour des chocolats Cadbury.

ne m'intéressait pas. L'abstinence serait donc facile. Voilà ce que je pensais…

Dans un monde où nous sommes censés désirer et être désirées en permanence, où la publicité de mode affiche des mannequins dont les poses miment un appétit sexuel sans fin, j'ai l'impression d'avoir perdu une part précieuse de moi-même. Quel est donc le bilan que je peux tirer après avoir passé le cap d'un mois d'abstinence ? À vrai dire, pas ce qu'on pourrait imaginer. Je n'ai pas peur de ne pas tenir jusqu'au bout, au contraire, j'ai peur de tenir sans le moindre effort.

Est-ce la première fois que je ressens ça ? Je ne crois pas, même s'il est vrai qu'avant j'aurais écouté les sirènes de celles qui, pour se remettre d'un homme, conseillent de se glisser sous le poids confortable d'un autre. Inévitablement, l'aventure servant de réparation aurait impliqué un homme que je connaîtrais déjà mais pour qui je n'éprouverais pas grand-chose. M'envoyer en l'air, telle était ma réaction quand je paniquais face au manque de désir. Comme si j'espérais que la luxure laisserait des dépôts sur moi pendant que je batifolerais sous les draps. Ne pas se sentir désirée est une chose, mais ne pas éprouver de désir, c'en est une autre, beaucoup plus perturbante.

La blouse en soie était un talisman qui incarnait un élan dont je voulais m'assurer qu'il était encore présent en moi. Nous ne sommes pas censées y croire, mais, dans notre for intérieur, pour la majorité d'entre nous, avoir du charme est lié au fait d'être désirable. N'est-ce pas Coco Chanel qui affirmait que l'élégance ne s'obtient pas en enfilant une nouvelle robe, que c'est une qualité qui irradie de l'intérieur ? Quant au charme, il dépend souvent de l'attention des autres, un je-ne-sais-quoi qui gît dans un doux regard, dans une porte qu'on vous tient ouverte. Nous pouvons chercher à l'accentuer avec un décolleté plongeant ou des matières vaporeuses, mais nous avons besoin du regard d'un autre pour qu'il existe. En choisissant l'option abstinence, mais en portant cette blouse contre moi et cachée, j'ai le sentiment de réapprivoiser ma féminité. Autre chose : je viens de redécouvrir le plaisir de ne pas tout révéler, le pouvoir de choisir ce que je préfère garder secret. Il existe un mot pour ça, un mot oublié : pudeur.

Entre-temps, vis-à-vis du monde extérieur, mon vœu se traduit par le port d'un gros col roulé noir, l'uniforme des intellectuels français, ces rebelles dont l'esprit déborde de concepts qu'ils vont balancer dans les rues, aussi volatiles que des cocktails Molotov.

J'ai vu un homme sauter d'un taxi à peine arrêté pour me fuir : mon vœu m'aurait-il également rendue dangereuse ? L'idée est séduisante.

# 4

# Octobre ou Brèves rencontres

> « C'est l'esprit et l'humeur de la femme que l'homme doit stimuler pour rendre le sexe intéressant. Un bon amant vous excite en vous effleurant la tête, en vous souriant ou simplement en regardant droit devant lui. »
>
> Marilyn Monroe

Au début du mois d'octobre, on nous envoie, ma nouvelle garde-robe et moi, sur le continent pour une foire. Pour nous, les Anglais, le mot « continent » a tout de suite une connotation chic et choc, sauf qu'en réalité la foire a lieu dans une ville aux doigts couverts de nicotine, une ville froide et humide du nord de l'Europe. Mais, bon... il y a un aspect qui m'amuse dans ce voyage.

Dépêchée au dernier moment, j'ai eu du mal à trouver une chambre, du coup, j'échoue dans un petit hôtel à deux pas de la gare, alors que tout le monde est logé dans les immenses tours de chaînes hôtelières internationales. L'établissement où je me retrouve est de toute évidence un ancien hôtel qui louait des chambres à l'heure, une activité que son vernis soigné a du mal à cacher. Le bar est ouvert vingt-quatre heures sur vingt-quatre, et à 9 heures du matin par un lundi matin frisquet, l'horloge de l'entrée pourrait afficher 3 heures qu'on n'y verrait que du feu, sans doute à cause de la lumière tamisée et de la musique, si basse et si sourde qu'on dirait un battement de cœur.

Au cours de la foire, quand les gens me demandent où je loge, je ne mentionne rien de tout ça, il suffit que j'agite mes clés sous leur nez. Le fait est que mon porte-clés est une espèce de scoubidou qui pendouille de façon obscène. La plupart réagissent en riant et en soulevant des sourcils complices, mais deux ou trois personnes rougissent. Personne n'étant au courant de mon vœu, aucun ne peut apprécier l'ironie, encore moins les trésors de bon goût auxquels ce porte-clés donne accès : le couvre-lit soyeux, la tête de lit en suédine couleur crème, les meubles sombres. Même le sol semble réclamer qu'on s'y vautre car il est couvert d'une moquette à damiers évoquant les excès du théâtre jacobéen du début du XVII$^{e}$ siècle : infidélités et vengeance, capes empoisonnées et timbales hérissées de pointes meurtrières.

Toute la semaine ou presque, je me réveille dans ce décor improbable, avant d'aller rejoindre les tapis roulants qui relient les différents pavillons où se déroule la foire. Je ne sais pas combien de kilomètres de tapis roulants il y a en tout, mais, pour vous donner une idée, j'ai pu mener une interview de vingt minutes sans avoir à faire plus de trois pas sur le sol ferme. Çà et là j'aperçois des collègues ou des amis – l'un a déjà un sourire figé et éteint, signe d'épuisement, alors que nous n'en sommes qu'au deuxième jour, l'autre les épaules voûtées, accablé par l'abattement, sous sa chemise grise.

Voilà comment se passent mes journées. Mes nuits, elles, sont plus longues que tous les tapis roulants mis bout à bout, et presque aussi harassantes. La seule façon de se changer les idées après dix heures passées à ne parler que de boulot, c'est de se retrouver dans un bar bondé, étouffant et assourdissant, pour picoler et bavarder en hurlant, toujours de boulot. Sauf qu'un autre type de conversation vibre en même temps dans l'air. On se presse les uns contre les autres, les corps se ramollissent sous l'effet de l'alcool, on sent des coudes s'enfoncer dans des tailles flasques et des poitrines enfler contre le dos du voisin. Les voix sont cassées et les lèvres frôlent les oreilles de façon beaucoup plus suggestive que les mots, qu'on entend à peine.

À mes oreilles nouvellement chastes, ce courant sexuel sous-jacent est assourdissant. Suis-je la seule à l'entendre ? Y aurais-je été aussi sensible en temps normal, ou aurais-je été emportée par lui ? Même s'il ne m'est pas particulièrement destiné et ne dépasse pas l'espace du bar, comme la déco de mon hôtel, j'ai du mal à le supporter.

À distance, j'observe les rapports entre hommes et femmes. Certains sont gauches et se débattent, d'autres sont plus habiles, presque trop. Au fond, flirter est une façon d'aller vers l'autre en utilisant le seul langage qu'on semble attendre de nous, surtout ici. Tout le monde sait ce qui passe dans les foires qui ont lieu loin de chez soi : on s'envoie en l'air.

Cette nouvelle prise de conscience ne m'empêche pas d'être titillée par le désir. Un jour j'avance sur un de ces tapis roulants sans fin et je pense à un garçon que j'ai rencontré. J'ai fait sa connaissance en interviewant une femme à la carrière professionnelle impressionnante à côté de qui il est assis. Il doit avoir plus ou moins mon âge, et peut-être est-ce le fait qu'il soit plus jeune qu'elle, plus accessible, qui nous a rapprochés, comme s'il appartenait à la vraie vie, loin des éclairages crus et des carrés de moquette prête-à-poser.

Paradoxalement, c'est aussi le genre discret, l'archétype du garçon qui se tient dans un coin et que quelques mois plus tôt je n'aurais pas remarqué, encore moins entendu. J'ai beau me concentrer sur la femme que j'interviewe, je saisis au vol une mèche de cheveux clairs, des mains qui ont l'air faites pour la vie au grand air plus que pour la vie de bureau. Il intervient peu, mais son accent du sud des États-Unis réchauffe sa voix. Je me rassure en me disant que si je sens la moindre attraction, c'est une affinité qui n'a rien de sexuel.

Le dernier jour a lieu la fête de clôture de la semaine. Ce soir-là, je repasse par mon sinistre boudoir pour me changer et mettre une robe. Une robe fluide, pas très ajustée, avec un décolleté qui révèle à peine les salières. La fête n'a rien d'extraordinaire, malgré la musique et les lumières un peu plus tamisées. Je retrouve un groupe de gens, dont le jeune monsieur taiseux rencontré l'après-midi même.

Il se fait tard, je vais m'asseoir au bar avec lui, et nous nous laissons entraîner jusqu'à cette heure étrange où l'on est trop fatigué pour faire quoi que ce soit, sinon rester éveillé. Entre les silences, nous échangeons quelques vérités sur nous-mêmes, des détails révélateurs servis comme si c'étaient des inepties, genre, ce qu'on aimerait manger à l'instant si on n'était pas dans cette maudite ville. Des pancakes, tel est mon rêve, que je partage avec le jeune monsieur taiseux.

Le nombre de noceurs se réduit à mesure que l'heure tourne. Jusqu'au moment où il ne reste plus que nous. Nous aurions peut-être dû demander à une ou deux personnes de rester. Non pas que nous ayons besoin d'être chaperonnés, mais, dans certaines situations, on peut se laisser emporter comme par un bon roman. Temps, espace et décor se conjuguent pour former comme un pouvoir de narration irrésistible. J'imagine déjà comment ça pourrait se passer. On irait à son hôtel pour jeter un coup d'œil sur le buffet du petit déjeuner, hélas, pas encore installé, ou au contraire on tomberait sur une salle à manger bondée. En tout cas, pour une raison ou une autre, on serait obligés de se retirer dans sa chambre. On serait là, le lit serait là, or un + un + un lit = ... je vous le donne en mille !

Nous sommes donc seuls dans le bar, il n'y a personne, quand soudain... surgit une apparition, au moment même où je note la fragilité de ma résolution, un type sexy comme je n'en ai pas vu depuis une éternité. Il a la peau couleur de lait à la vanille et de belles boucles dorées qui cachent à peine ses yeux marron chocolat. J'ai l'impression qu'il vient de débarquer de mon rêve d'amour et de petit déjeuner.

Il me regarde droit dans les yeux. Je suis grisée. Un instant, je suis persuadée qu'il va s'approcher – et s'il connaissait mon jeune monsieur taiseux ? Pas du tout, il disparaît, avant de réapparaître pour faire un lent tour de piste de la salle, derrière le bar, où il est tellement tard que les serveurs commencent à installer les chaises pour le petit déjeuner et à couvrir les tables de nappes blanches. Il a dû perdre un truc au cours de la nuit, pensé-je. De nouveau il me regarde fixement, longuement, à tel point que je commence à me sentir gênée.

Il me déshabille du regard avec une insistance dont je ne sais que faire, prisonnière de mon vœu. Autrefois, je lui aurais rendu la pareille avec audace, mais aujourd'hui je me sens déstabilisée, moins sûre de moi. C'est idiot, mais je ne peux m'empêcher de penser que si la salle était pleine son regard se diluerait avant d'arriver jusqu'à moi. Dans cette pièce complètement vide, il est trop fort, fort comme un tequila slammer avec une pointe de whisky. Affalée dans un gros fauteuil avec un verre où fond un dernier bout de glaçon, je sens une vague de vertige m'emporter. Je n'ai plus qu'à écouter mon jeune monsieur taiseux. Il n'est pas si taiseux que ça, finalement, c'est juste qu'il réfléchit avant de parler.

Pendant ce temps, l'autre, celui qui correspond pile à mon type d'homme, à part les cheveux clairs, entre et sort de mon champ de vision, négligé juste ce qu'il faut, sexy en diable, et toujours ce regard, de plus en plus insistant. S'il n'était pas aussi beau, je me demanderais si je ne l'ai pas déjà vu. Une femme n'oublie pas un homme aussi sublime. Même mon amie Caroline, jeune mariée, qui vient de se matérialiser près de mon épaule.

« Ce mec, top sexe », me chuchote-t-elle à l'oreille, les yeux brillants.

Caroline est californienne, ce qui lui permet de balancer ce style de cliché sans avoir l'air de sortir d'une série télé pour ados. Évidemment, elle a raison, et quand nos regards se croisent à nouveau j'ai assez de cran pour articuler un mot, un simple « salut » lancé avec la voix cassée de la fille qui a fait la fête toute la nuit. « Salut », me répond-il avant de venir s'asseoir sur le bras de mon fauteuil. Mon moi chaste manque de bondir, mais je n'ai plus assez de force. Je présente les deux hommes, et les voilà tous deux face à moi, dans le même cadre, le canon et le taiseux. Difficile de ne pas être attirée par le nouveau venu. Il porte une veste en mouton – je rêve ! un mec qui porte une peau de bête et a l'air de porter le soleil sur la sienne.

Peu après, j'apprends qu'il est israélien, et, comme toutes les personnes parlant hébreu que j'ai croisées dans ma vie, il sait que mon prénom vient de la Bible. Ironie, il signifie « elle est ma joie », et je ne vous raconte pas l'effet que ça me fait de l'entendre dans sa bouche ! Il fronce les sourcils et répète en toute innocence :

– Hephzibah ? C'est comme si en anglais tu t'appelais… genre Ethel, avant de secouer la tête d'un air contrit pour ajouter : C'est un prénom pour une personne plutôt âgée.

Le fait est que je suis une personne âgée pour lui. Je ne sais plus très bien comment la conversation en est arrivée là, mais il vient de me dire qu'il a tout juste vingt-six ans. Quatre de moins que moi, et un an de moins que ma petite sœur.

– Je ne te crois pas, m'exclamé-je en riant, c'est pas possible, trente-six ans, tu veux dire !

– Quel âge tu aurais envie que j'ai ?

Les rôles sont inversés, comme si c'était moi qui menais et le matais. Et si c'était le cas ? Peut-être que l'atmosphère délétère de mon hôtel a déteint sur moi. À ma décharge, je dirai qu'il a vraiment l'air d'avoir trente-six ans, et après cette nuit blanche on a sans doute pris chacun dix ans. Comme s'il fallait une preuve, au moment même où il m'invite en riant à aller le voir en Israël, son portable sonne.

– Oui, répond-il avec un parfait sang-froid.

Je me demande si c'est une petite copine. Il doit en avoir plusieurs.

– Je suis au bar… Non… Le vol est à 9 h 30, c'est bon, j'arriverai à temps. O.K., O.K., papa, je suis là dans quelques heures.

Peu après je clos ma soirée avec une margarita en guise de petit déjeuner. Une heure et demie de sommeil, une longue attente à l'aéroport, et enfin je décolle. Arrivée à Londres, je guette ma valise autour du tapis de bagages quand je manque de me cogner dans un ex, un vieux de la vieille – M. Bracelet-de-Cheville. Un châtiment tombé du ciel après avoir si violemment flanché la veille.

Nous nous rassurons en imaginant que les hommes se divisent en « types » et que chacune de nous aurait un « type » qui lui correspondrait. Au début, nous y croyons. Par exemple, nous voulons avoir un amant aux épaules larges, avec la mâchoire carrée, un regard de braise et un petit accent sensuel, mais l'esprit vif. Mais, comme dans tous les domaines, les règles sont faites pour être enfreintes, et ce qui commence comme une quête positive se transforme peu à peu en quête négative, autrement dit, une façon de procéder par élimination. Ça ne marche pas avec les hommes élancés, alors si j'allais voir du côté des types plus costauds, genre les pieds sur terre ? Pas non plus génial avec les intellos, torturés et angoissés, alors si je tâtais du chef cuistot ou du jardinier-paysagiste ? Et si ma mère avait raison ? Pourquoi ne pas essayer un gentil médecin, le type qui me faisait fuir, justement, il serait peut-être parfait ? Sauf que… parfait, d'accord, mais ça existe vraiment ?

Vous n'avez pas le temps dire ouf, vous voilà embarquée dans un système de prescriptions sans fin, comme si chaque liaison était un remède censé soigner la précédente, jusqu'au moment où vous ne distinguez plus les symptômes des effets secondaires. C'est le problème : vous enchaînez les liaisons comme si à chaque fois c'était un petit rhume qui finira par passer.

Il y a peu de temps, mon amie Melissa s'est mariée. Le jour de son mariage, elle m'a avoué que même si elle et son mari avaient eu le coup de foudre elle avait tout de suite eu une réserve, et de taille. Monsieur avait les cheveux très foncés, comprenez-vous, or elle avait toujours craqué pour les hommes à la crinière plutôt blonde ! Je n'étais donc pas la seule à être soudain lasse, pensai-je pour me rassurer. Mais comment se fait-il que cette amie ait survécu à dix ans de drague et attendu si longtemps pour abandonner des préjugés du niveau du conte de fées ?

J'ai pensé à mes amies du Groupe. À ce moment-là, nous étions toutes en train de laisser tomber un par un une série de critères que nous croyions essentiels, que ce soit un homme qui nous aime, par exemple, ou un célibataire. Notre vie amoureuse était devenue l'équivalent de cet exercice destiné à renforcer l'esprit de groupe, où vous vous retrouvez dans une montgolfière qui redescend trop vite sur terre et vous réfléchissez pour savoir ce dont vous allez vous délester. Sauf qu'il ne s'agissait pas d'équipe à souder et que nous nous réunissons de notre plein gré.

Quant à moi, difficile de décrire mon type d'homme, le seul dénominateur commun étant que par définition ce sont des hommes qui refusent de se laisser enfermer : les mecs éternellement de passage, les goujats, les salauds patentés… J'en connais toute la gamme, toutes les formes, toutes les tailles, tous plus âgés que moi, certains un peu, d'autres nettement plus.

Et si nous avions besoin d'une phase préparatoire destinée à définir le profil de celui qui nous surprendrait ? Qui serait tellement aux antipodes de notre type que nous serions justement désarmées face à lui ? Le jeune monsieur taiseux, par exemple.

Après la foire, j'ai reçu plusieurs mails de lui. Au début, le prétexte était professionnel, parfaitement adapté à la jeune fille chaste que je suis désormais, mais peu à peu ses mails sont devenus plus personnels. Un jour il m'a annoncé que sa sœur avait eu des jumeaux, un autre, que lui-même venait de s'acheter un chien. Un petit quelque chose de rassurant et de confortable se glissait petit à petit dans nos échanges, cette onde de chaleur amicale que je cherchais au cours de la foire – chaleur que j'aurais été tentée d'aller chercher dans les bras de l'Apollon aux cheveux couleur de miel si je n'avais pas été tenue par mon vœu et retenue par son jeune âge.

D'une certaine façon, c'est une vraie révélation : dans ma vie d'avant, jamais je n'aurais remarqué ce type discret assis dans un coin. « On se reparle bientôt », écrit-il à la fin de chacun de ses mails. Parfois, j'imagine ce que ça donnerait si je décrochais mon téléphone pour entendre son accent traînant du Sud au bout du fil.

« Et ton vœu ? » me demande ma sœur à peine mentionné-je son nom.

Elle n'est pas dupe. Elle a raison, bien sûr – il faut que je tienne. Cela dit, il habite à l'autre bout du monde, à Los Angeles, c'est donc un flirt chaste, sans risque, mais, quand même, ça commence à ressembler à une douce torture. En outre, autant j'arrive à me bercer d'illusions sur mes sentiments, autant je suis sûre que pour lui tout ça est platonique. Après tout, il n'a pas idée de mon vœu, alors qu'est-ce qui l'empêchait de tenter le coup quand on était dans le bar ? À moins qu'il ne préfère laisser les choses venir tranquillement… disons, aussi tranquillement que le rythme de sa conversation ?

Je sais, j'essaie de me rassurer en trouvant mille raisons pour justifier son manque d'intérêt – dont je devrais me soucier comme d'une guigne vu mon engagement. Cependant, il est vrai que lorsqu'un homme ne s'approche pas plus rapidement nous trouvons ça bizarre. Par exemple, ma sœur a deux amies très différentes qui se sont chacune retrouvées au lit avec un homme qui, sans raison apparente, s'est arrêté aux petits jeux préliminaires. Une première fois, c'est touchant, la deuxième, c'est insolite, la troisième, carrément flippant. Une de ces deux filles est une vraie renarde, très voluptueuse et l'assumant totalement ; la seconde est un peu guindée, mais avec une telle assurance que c'est le comble du chic. Or toutes les deux ont réagi de la même façon : elles ont paniqué. Elles ne se sont pas senties rejetées, mais leur confiance en elles en a pris un coup. Toutes deux ont éprouvé le besoin d'en parler à des amies proches, mais aucune n'a osé en parler à l'homme en question.

Maintenant, imaginons que les rôles soient inversés, que les femmes soient celles qui résistent : cela paraît-il aussi bizarre ? Sans doute, en tout cas au bout de la troisième fois, mais pas aussi bizarre. La première fois, ce serait considéré comme normal, la deuxième comme une preuve de coquetterie, la troisième, ça serait franchement agaçant.

En nous libérant du mythe, sournois et artificiel, selon lequel les femmes ne sont pas des êtres sexuels – mythe résumé par le docteur O. A. Wall, qui écrivait en 1932 : « Une femme bien élevée ne recherche pas de gratification charnelle, et le plus souvent elle est indifférente aux plaisirs du sexe » –, nous avons emprisonné les hommes dans le mythe équivalent selon lequel ils seraient des êtres hypersexuels, toujours à la recherche d'un soulagement charnel.

Quand j'y pense, les hommes dont je me souviens avec le plus de tendresse sont ceux avec qui je n'ai pas couché. Non pas ceux qui m'ont repoussée, même s'ils sont légion. Non, je pense aux hommes qui ont été à deux doigts de devenir mes amants, que j'ai été sur le point d'embrasser, ou à ceux que j'ai embrassés mais avec qui, pour une raison ou une autre, je ne suis pas allée plus loin. Quel que soit le plaisir que j'aie pu avoir avec les autres, ce sont ces derniers qui me touchent encore, des années plus tard, et qui me font discrètement sourire si leur nom survient au cours d'une conversation avec des copines.

– Qu'est-ce qu'il est devenu, euh... ? me demande un jour une des filles du Groupe, et aussitôt je m'égare, je perds le fil de la discussion, je suis emportée dans un autre monde, fait de « et si », « pourquoi je... », « j'aurais dû... »

Et, bien entendu, je lis sur le visage de mes amies un sourire complice.

Les aventures sans passage à l'acte ont leur place au royaume des illusions. Le fameux « parce que c'était lui », par exemple, comment pouvons-nous y croire alors que nous avons été si souvent certaines de l'avoir trouvé ?

– Dis-moi quel est ton fantasme ? m'a susurré un jour avec une voix suave et chaleureuse un homme dans l'obscurité.

Il était en train de promener ses mains rugueuses sur ma peau, créant de longues ondes de plaisir de mes oreilles à l'extrémité de mes doigts de pieds. Il a esquissé différents scénarios pour m'encourager : je suis dans un collège de garçons et je me retrouve seule dans les douches entourée de jeunes hommes. Ou nous sommes tous les deux dans un dîner très chic, et nous nous échappons dans le jardin mouillé de rosée quand tout à coup il soulève ma robe et ouvre sa braguette...

Rien que de très banal, mais voilà ce qui est curieux : nos désirs les plus intimes se réduisent finalement à un vocabulaire extrêmement limité. Le psychothérapeute anglais, Brett Kahr, ne dit pas autre chose dans son *Livre des fantasmes*, une étude très fouillée sur les fantasmes sexuels des Anglais : chacun de nous possède une histoire absolument personnelle, si personnelle qu'elle en devient d'une banalité toute prosaïque.

Quel était donc mon fantasme ? Je n'en avais qu'un, qui aurait sûrement choqué et fait fuir cet homme hors de mon lit : le fantasme d'un homme qui m'aimerait. Mais, vu les circonstances, ç'aurait pu paraître limite pervers, du coup, j'ai bafouillé je ne sais quoi sur des histoires de naufrages et d'îles désertes en essayant d'étouffer mes ricanements sous les draps.

Au moment où je réfléchis à tout ça, je suis allongée et je savoure la fin d'un long week-end à Londres. La veille, j'ai donné rendez-vous à une amie, Victoria, pour boire un verre. Elle m'avait demandé d'être demoiselle d'honneur à son mariage au printemps, quelques mois plus tôt. Un mariage dans l'intimité, à New York, m'avait-elle promis. Une autre amie m'avait évidemment fait remarquer : « Un mariage dans l'intimité, à New York ? Tu parles ! » Elle avait raison. La liste des invités de Victoria était réduite, certes, mais la cérémonie était digne d'une production hollywoodienne. Une semaine avant le jour J, j'avais pris l'avion pour New York avec le garçon d'honneur et un ami commun, suivant ce qu'on m'avait demandé. Nous avions loué un appartement qui était parfait, même si au début j'avais eu des craintes, parce que nous étions à deux pas de logements municipaux près du Lincoln Center.

Nous avions passé la semaine à faire des courses dans des boutiques superchics pour préparer le mariage. La mère de Victoria nous avait gâtées, nous, les filles, en nous offrant à chacune une robe de haute couture, des chaussures à talons qui tuent et des cours de danse de salon. Quant à son père, il entretenait notre moral à coups de bonnes bouteilles de vin et de blagues bien envoyées.

Je ne sais plus pourquoi, mais je me suis retrouvée enrôlée pour accompagner les futurs époux au City Hall, où il a fallu suivre des files d'attente interminables et accumuler toutes sortes de papiers avec tampons et signatures préalables à la demande du certificat de mariage. Au guichet numéro 7, l'employée postée de l'autre côté de la vitre aurait pu déclarer mes amis mari et femme tout de suite, sur place. Je me suis demandé s'ils étaient tentés. Je sais que je l'aurais été, surtout après une semaine à devoir prendre des décisions sur tout : comment placer tel ou tel parent difficile à table, de quel côté de l'assiette disposer les haricots verts, etc.

Nous étions dans une immense salle remplie de couples heureux. Heureux mais regardant l'avenir avec une certaine inquiétude et jetant régulièrement un œil sur leurs montres. Heureux mais réfléchissant pour savoir où ils avaient garé leurs voitures. Heureux mais se chamaillant pour savoir de quel côté présenter les haricots verts. Le fait que pour rien au monde je n'aurais aimé être à leur place ce jour-là donne une idée de la folle semaine que je venais de vivre.

Il y a juste un moment où je me suis sentie émue : en voyant les cœurs dessinés sur les murs, partout, à hauteur d'épaule, tracés au stylo, comme ceux qu'on voit gravés sur les troncs d'arbres ou griffonnés dans les manuels scolaires, avec les prénoms : « Scott aime Linda », ou « Annette + Juan ». La plupart étaient datés et avaient quatre ou cinq mois maximum. Les murs étaient donc repeints régulièrement, et tout le monde savait qu'on offrait à chaque fois un nouvel espace aux mariés : amours gribouillées sur d'anciennes amours, elles-mêmes gribouillées sur de plus anciennes. Manifestement, les fonctionnaires du City Hall y tenaient eux aussi, à ces petits cœurs.

Par miracle, mon amitié avec Victoria a survécu à cette semaine, même si nos relations se sont tendues. Jusqu'à hier soir, nous ne nous étions pas vraiment parlé, mais je suis tombée sur elle il y a quelques jours dans la rue, et nous nous sommes donné rendez-vous pour prendre un verre. C'est elle qui a choisi le lieu : un vieux bistrot dont l'intérieur vient d'être enduit à la chaux, avec des tables à tréteaux et des chaises d'écolier sous lesquelles on s'attendait à trouver des chewing-gums collés et, qui sait ? un cœur fléché dessiné au Tipp-Ex, clin d'œil involontaire à ceux du City Hall.

Le courant n'est pas très bien passé. J'ai avoué à Victoria que j'aurais préféré refuser le rôle de demoiselle d'honneur, ce qui n'a pas arrangé les choses. Comme je m'en doutais, la mission ne finissait avec le mariage : j'avais signé pour jouer le rôle *ad vitam aeternam*. Cela dit, je la comprenais : Américaine, elle vivait dans un pays étranger et s'accrochait à la moindre affinité ou amitié naissante qui avait pourtant toutes les chances de n'aboutir nulle part.

Victoria m'observait avec un regard trouble tout en luttant contre un type, une chope à la main, qui voulait s'asseoir à côté d'elle.

– Je n'ai pas de copains, m'a-t-elle déclaré. Je n'ai que de vrais amis.

J'avais déjà entendu ces mots, mais quand ? Soudain, j'ai éclaté en sanglots et je... je me suis imaginée flottant au-dessus de tout ça et voyant se dérouler un scénario qui ressemblait furieusement à celui d'une rupture amoureuse. Tout à coup, ça m'a sauté aux yeux : notre amitié un peu artificielle, encore hésitante, échouait beaucoup plus violemment qu'une relation beaucoup plus proche. Ce n'était pas la première fois que quelqu'un rompait avec moi, mais jamais je n'avais eu droit à une déclaration aussi radicale. En général, c'étaient les coups de fil qui s'espaçaient jusqu'à ce que plus personne n'appelle ni d'un côté ni de l'autre. Un mois ou deux passaient, et on se retrouvait par hasard dans la rue, un peu gênés et ne sachant trop comment se saluer.

Après ce verre, je suis allée me promener au hasard des rues, dans la nuit, respirant l'air frais à pleins poumons. Halloween n'était pas très loin, et j'avais l'impression d'être une sorcière qui venait d'abandonner une amie en larmes, pourtant dotée d'un gentil mari aux petits soins. Hélas, ma soirée n'allait pas vraiment s'améliorer.

Une heure plus tard, environ, je vais à une fête d'anniversaire : plein de jeunes mariés, pas d'enfants, mais un nombre incroyable de femmes ostensiblement et triomphalement enceintes. J'en suis au premier trimestre de mon année de chasteté et j'ai sous les yeux la preuve que toutes ont baisé plus récemment que moi. Je me réfugie sur un coin de canapé au bout d'une pièce et peu après je vois que l'unique fille non accompagnée me rejoint. J'apprends qu'elle vient de divorcer : est-ce que ça la rend plus ou moins pathétique que moi ?

J'ai du mal à me défaire de cette image de sorcière, elle continue à me hanter. Je m'interroge : au fond, quelles sont les femmes que l'on cataloguait comme sorcières ? Les femmes seules. Les femmes qui refusaient de devenir épouses et mères, qui décidaient de vivre en solo, subvenant à leurs besoins et – à moins qu'elles ne fricotent avec le diable – demeuraient chastes. Ça me rappelle une e-carte qui circulait sur laquelle on voyait une femme mince avec des cheveux au carré s'interrogeant devant sa garde-robe : « J'hésite, je ne sais pas comment me déguiser pour Halloween : en sorcière un peu pute ? infirmière un peu pute ? écolière un peu pute ? ou carrément totale pute ? » Très drôle, du moins au début. Lire trois fois, quatre fois le mot « pute », ça n'est pas anodin. Ne dit-on pas que répéter trois fois une invocation est une façon de jeter un sort ? Et l'option « bonne sœur » n'était-elle pas sous-entendue comme la possibilité inverse ? Quand cette possibilité avait-elle disparu ?

Comme la sorcière – et la petite garce assoiffée de sexe, son incarnation la plus récente –, la religieuse est l'autre figure traditionnelle de la subversion féminine, une façon pour la société de contenir et de rationaliser la menace que cette femme franc-tireur représente. L'Église, qui a longtemps fait autorité sur la vie sexuelle, joue aujourd'hui encore un rôle essentiel dans l'idée que nous avons de la notion de chasteté. Oui, la révolution sexuelle a chassé l'Église de la chambre des époux, en tout cas, dans le monde occidental protestant, pourtant, nous continuons à associer la chasteté à l'idée de claustration, de retrait du monde, alors que la chasteté féminine a une histoire qui ne manque pas de piquant.

Prenons par exemple le cas de Margery Kempe, qui raconta sa vie dans ce qui peut être considéré comme la première autobiographie de langue anglaise. Née dans le Norfolk à l'aube du XIVe siècle, elle eut quatorze enfants avant d'avoir une révélation qui l'incita à demander à son époux, très épris, d'avoir une vie chaste. Elle entreprit de créer une distillerie et un moulin à grain et voyagea jusqu'en Prusse et en Norvège pour prêcher la bonne parole, se faisant alors houspiller par l'Église, qui voulait empêcher les femmes d'évangéliser.

D'autres ont exploité la chasteté pour défier l'assignation des rôles masculin-féminin. Au IV^e siècle, une femme nommée Ecdicia réussit à persuader son mari, avec force caresses, de faire un vœu conjoint de chasteté. L'époux faillit très vite et prit une maîtresse ; en revanche, en renonçant à ce qu'on appelait la « dette de mariage » et en se réappropriant son corps, Ecdicia s'estima en droit de faire fi de l'obéissance qu'elle lui devait en tant qu'épouse et, sans consulter son mari, elle fit une importante donation à deux moines errants.

Au sein même de l'Église, les religieuses assumaient des rôles qui n'ont rien à voir avec l'image caricaturale que nous avons de vieilles biques en sandales à semelles de crêpe. Pour le poète anglais Milton, la religieuse incarnait la femme totale. Écoutez la façon dont il en appelle à l'« âme captive » dans son long poème intitulé *Il Penseroso* : *Viens donc, Nonne pensive, dévote et pure/modeste, résolue et sérieuse/parée dans les plis de ta robe sombre/dont la traîne flotte avec majesté/ tandis qu'un long voile de crêpe noir/recouvre ta belle et pudique épaule.* Chaste, certes, mais indéniablement sensuelle.

Dans la vraie vie, les religieuses n'étaient pas non plus étrangères à la sensualité. À Venise, au XVI^e siècle, à cause d'un surplus de demoiselles bien nées mais dépourvues de dots significatives et d'une pénurie de jeunes hommes de qualité, beaucoup de jeunes femmes furent contraintes d'entrer dans les ordres. Claquemurées derrière leurs remparts, certaines n'en devinrent pas moins des courtisanes réputées pour leurs réceptions, leurs atours raffinés et leurs galoches à hauts talons.

Pour beaucoup de femmes, le couvent était soit une prison, soit une vocation, pour d'autres, c'était un sanctuaire. Toutes n'y entraient pas vierges ; on y trouvait des veuves et d'anciennes prostituées. Aux yeux de celles-ci, une vie chaste, c'était l'occasion d'avoir une chambre à soi, au sens propre et au sens figuré, loin d'une vie domestique pénible et d'accouchements souvent terrifiants. Une chambre austère, certes, mais procurant le luxe de la paix et la possibilité de faire des études, chose interdite aux femmes dans le monde séculier.

J'étais en train de réfléchir à tout ça quand l'homme que j'aurais dû épouser m'est revenu en mémoire : le Gentil Comptable juif, le gendre idéal dont rêve toute mère. Quand je dis : j'aurais dû l'épouser, j'exagère un peu. Ce n'était pas l'homme qui m'était destiné depuis toujours. Impossible, ce serait trop triste, surtout qu'aujourd'hui il est marié.

Son mariage à lui, je n'y avais pas assisté. Sa fiancée avait senti qu'il y avait quelque chose entre nous, et le jour où elle m'a appelée pour m'inviter, au dernier moment, j'entendais sa voix, comme un sous-texte, m'interdisant d'accepter. J'ai tenté le coup, je me suis habillée, pomponnée, j'ai appelé un taxi, mais une fois bloquée dans les embouteillages, sachant que même si j'étais à l'heure il n'y aurait plus de place pour moi dans sa vie, j'ai payé le chauffeur et suis sortie sur-le-champ.

Aujourd'hui on se croise une fois par an environ, et c'est comme si rien n'avait changé, on retrouve tout de suite la même complicité. Au moment de notre rencontre, j'avais vingt ans à peine, cet âge crucial où on se raconte toutes ses premières expériences. Je lui disais tout et il ne me cachait rien. Comme il a toujours été pratiquant, avoir une liaison avec lui aurait signifié m'engager sérieusement, ce qui aurait bouleversé mon style de vie. Est-ce que j'étais amoureuse ? Je l'ai cru, en tout cas, suffisamment pour demeurer fidèle à cette idée aussi longtemps qu'a duré notre amitié. Mais à vingt-trois, vingt-quatre ans, je n'étais pas prête à me marier, et nous avons fini par nous éloigner. Depuis cette époque, je crois que je cherche à ne faire qu'un, intellectuellement et spirituellement, avec les hommes avec qui je ne fais qu'un physiquement. Et j'ai cru avoir trouvé le bon deux fois.

En balayant toute notion de culpabilité, d'ignorance et de répression, la révolution sexuelle a évacué des siècles d'efforts pour rendre les rapports sexuels plus civilisés, ou au moins pour créer un havre rassurant à partir duquel on pouvait explorer des flancs plus escarpés. Après la Seconde Guerre mondiale, l'idée de réciprocité et d'harmonie sexuelle qui était au cœur du mariage a été remplacée par une sorte de camaraderie, de copinage. En réalité, pour beaucoup de femmes, cette égalité est largement inégalitaire. Et, quand ces premières féministes ont eu des enfants, elles se sont retrouvées coincées à la maison, comme leurs mères, tandis que leurs partenaires poursuivaient leur carrière et encourageaient d'autres jeunes femmes à explorer les limites de leur liberté sexuelle.

Au début, ce désenchantement a donné un second souffle aux mouvements féministes, avant de les déformer ou de les dévoyer vers des régions lointaines, voire séparatistes, puisque certains courants exhortaient les femmes à avorter des fœtus mâles. Entre-temps, d'autres, telle la journaliste américaine Deborah Gregory, déclaraient que les femmes devaient poursuivre la quête de l'égalité en évitant toute relation et en tâchant de vivre un « célibat émotionnel ». Autrement dit, en se montrant masculines sur toute la ligne.

Ceci dit, le célibat au sens physique offre des récompenses inattendues. Une nouvelle clairvoyance, notamment, qui me permet de comprendre qu'au cours de cette course sexuelle effrénée j'ai négligé des étapes plus douces, telle l'amitié. Dans l'espace qu'autrefois je remplissais exclusivement par le sexe une certaine paix a enfin sa place, qui n'exclut pas l'ouverture ni le désir, mais qui permet de jouer sur des notes plus subtiles.

## 5

## Novembre ou Au cinéma

> « La séduction est toujours plus singulière et plus sublime que le sexe, et c'est à elle que nous attachons le plus de prix. »
>
> Jean Baudrillard, *De la séduction*

Je suis dans une salle obscure, et face à moi un couple se déchire au sens propre : vêtements arrachés, respirations heurtées, gestes frénétiques. Attirance magnétique, coup de foudre absolu. Je les regarde plonger tête la première dans l'océan de l'oubli, au septième ciel. Oui, je suis scotchée par le film, mais mal à l'aise, sans doute aussi mal à l'aise que mes voisins. Ou peut-être plus, car je suis assise à côté d'un homme par qui j'ai été terrassée, moi aussi, avec la même violence, sinon avec la même débauche visuelle. Des souvenirs de scènes que nous avons vécues ensemble se mêlent à celles qui défilent sur l'écran, or je sais que si je veux préserver ma santé mentale et ma chasteté je ferais mieux de m'abstenir de regarder et les unes et les autres.

Notre liaison avait duré quelques mois houleux et commencé par un simple : « Je peux t'embrasser ? » Personne ne m'avait jamais demandé ça. À l'époque, j'écrivais des critiques d'art et, comme lui, j'avais été invitée à une exposition privée. Il était sculpteur et avait des avis intéressants sur tout, de la politique au café turc ; j'étais ravie d'être tombée sur lui au milieu des inévitables branchouilles de service.

C'est un homme à qui je pense toujours sous le nom du Pacha, en partie parce qu'il se protège derrière une vague opulence teintée de paresse. Il n'est pas particulièrement beau, mais il a de superbes mains de sculpteur, et c'est un homme qui aime naturellement les femmes. Cause ou effet, les hommes se méfient de lui. Cela ne semble pas le gêner, du reste, pourquoi faudrait-il que ça le gêne ? Il est souvent entouré par un harem de sublimes jeunes créatures d'une vingtaine d'années.

Ce soir-là, il était seul et avait envie de bavarder. À cause de cette question – « Je peux t'embrasser ? » –, j'avais l'impression que son axe avait pivoté pour se concentrer exclusivement sur moi. Je connais bien cet instant où le cœur se met à battre la chamade juste avant d'être embrassée, ce quart de seconde où tout semble se figer. Mais, là, c'était différent – j'étais transportée sur une autre planète.

Le fait que j'aie oublié ma réaction exacte est symptomatique de la façon dont les choses se sont poursuivies, en tout cas, j'ai dû accepter puisque je me souviens qu'il m'a réclamé un nouveau baiser. Ce fut un baiser plutôt chaste, même avec la langue. Et un moment délicieux.

Nous étions parmi les derniers à partir et, comme nous allions dans la même direction, nous avons décidé de partager un taxi.

– Je te dépose au passage, lui ai-je proposé, sachant qu'il habitait à cinq minutes de la galerie, et moi à une demi-heure.

– Tu ne vas pas rentrer chez toi, quand même ? répondit-il avec un regard amusé.

Son appartement comportait peu de traces de son travail de sculpteur : un nu charbonneux abandonné sur une chaise, un bloc de terre modelé dans une forme abstraite. Le salon était peu meublé : un vieux canapé, un tapis cramoisi et une table basse qui était en fait un gros carton recouvert d'un tissu ethnique. Cela dit, lorsque je me suis retournée, j'ai découvert un immense mur tapissé de bouquins, dont le contenu était peu banal, puisqu'il y avait beaucoup de tranches dorées qui devaient être des livres de poésie.

Ai-je couché avec lui ? Disons que je l'ai suivi dans sa chambre où il y avait un matelas au sol sur lequel nous avons dormi côte à côte. Il m'a prêté une chemise d'homme qui m'arrivait à peu près aux genoux et dont les manches dépassaient tellement que j'avais l'impression d'avoir bu la boisson d'*Alice au pays des merveilles* qui fait rapetisser. Et le lendemain matin… le lendemain matin il s'est tourné vers moi et nous avons fondu dans les bras l'un de l'autre, encore endormis et engourdis après une nuit trop brève.

Puis il m'a préparé un grand café et m'a lu des poèmes, un peu trop sucrés pour le matin, genre baklavas en vers pour le petit déjeuner. *C'est l'amour : s'envoler vers un ciel secret et que cent voiles tombent à chaque instant.* Très romantique… mais il fallait que je rentre chez moi, avec ce léger sentiment de honte qui naît après une nuit passée chez un inconnu. J'ai pris le bus et me suis retrouvée au milieu de passagers dont les yeux brillants ne portaient nulle trace de mascara de la soirée précédente, contrairement à moi. (Quelqu'un m'a dit avoir rencontré à New York un don Juan qui possède une réserve de lotions démaquillantes et de crèmes hydratantes dans l'armoire de sa salle de bains. J'ai toujours pensé que la reconnaissance de ses conquêtes devait atténuer leur désarroi au moment où elles comprenaient qu'elles complétaient un beau tableau de chasse.) Bien entendu, je me débattais avec les questions flippées habituelles que le sentiment de satisfaction qui suit l'amour suffit rarement à juguler : comment interpréter ce qui venait de se passer ? Allait-il m'appeler ?

Même si je ne suis pas encore très avancée dans mon année de chasteté pour sentir une vraie différence, je suis surprise de constater que ma perspective a déjà changé. Comme si je me tenais légèrement de côté, même en évoquant ce type de souvenir. En ce moment, par exemple, au cinéma, alors que je pense à ce matin-là, soudain, je me dis que jamais je n'aurais eu l'idée de l'appeler, moi. Jamais. En tant que femmes, nous avons le droit de proposer à un homme de sortir, de partager la note et de faire le premier pas. En revanche, il y a une chose qu'une loi non écrite mais ayant toujours cours interdit, c'est d'appeler après. Comme si c'était un aveu de désespoir, or plutôt être vraiment désespérée que de le montrer.

J'ai donc lutté pour ne pas appeler le Pacha, et c'est lui qui l'a fait. Deux jours plus tard, nous nous sommes revus. D'une certaine façon, je savais que nous n'avions aucun avenir ensemble – il avait un mode de vie très libre et était incapable du moindre engagement. En outre, je me doutais que son cœur appartenait à une autre, dont la photo traînait encore sur une table dans un coin sombre de son appartement. Néanmoins, j'étais tellement sous son charme que j'ai mis plusieurs mois à me l'avouer.

Ce charme n'était autre que le sexe, pourtant, c'est plutôt en termes de nourriture que je me rappelle cette liaison. Elle coïncidait avec ma décision de ne plus être végétarienne, après vingt ans de ce régime. Je me revois quittant son appartement un samedi matin pour aller faire des courses avec une ou deux copines du Groupe. J'ai foncé chez un traiteur pour m'acheter un sandwich que j'ai mangé en remontant Oxford Street. C'était un sandwich au thon, et cette première bouchée de poisson en vingt ans a suscité en moi des souvenirs gustatifs dont je n'avais pas idée. Ou encore un jour, chez lui, j'étais assise sur le canapé et je mangeais des spaghettis à la bolognaise en les enroulant autour de ma fourchette, reprenant peu à peu goût à la viande rouge. Comme tous ces goûts étaient liés à mon enfance, ils avaient quelque chose de doux et de rassurant que j'associais aux sentiments que j'éprouvais pour le Pacha. Bien sûr, il y a eu aussi des nourritures d'adultes qui m'étaient inconnues, notamment le caviar, dont ma première cuillerée m'a été offerte par lui.

Changer d'alimentation n'a pas été facile, d'ailleurs, vous vous demandez peut-être pourquoi j'ai pris une telle décision. J'avais cessé de manger de la viande et du poisson à huit ans, alors que je passais tous les jours devant des veaux et des agneaux en allant à l'école, mais, à l'âge où j'avais rencontré le Pacha, c'était devenu une simple habitude. Aux yeux des autres, cependant, cela représentait une partie intrinsèque de ma personnalité. Les hommes, surtout, me considéraient comme Mlle Végétarienne, et j'ai toujours soupçonné qu'il existait un lien dans leur esprit entre le goût pour la viande rouge et l'appétit sexuel d'une femme. Une fille végétarienne est forcément un peu niaise, passive, d'où l'ironie, dans la mesure où c'est une forme de passivité qui m'a jetée dans les bras du Pacha. Sa question, « Je peux t'embrasser ? », m'avait troublée. Jusque-là, je me complaisais dans l'idée que l'amour était bien plus une question de destin.

Après notre aventure, nous sommes devenus de vrais amis, surtout grâce à lui, à sa constance. Au moment de notre rupture, j'avais l'impression d'avoir joué, contre mon gré, le rôle de la méchante alors que nous étions tous deux responsables. J'ai évité de lui parler pendant six mois au moins. Ensuite, je me suis rendu compte que j'aimais bien prendre un verre ou bavarder au téléphone avec lui. Telle la redécouverte du goût de la viande, la mémoire de mes instants d'union charnelle avec lui est préservée quelque part, comme si nous possédions chacun à jamais un petit bout de l'autre. Nous avons beau avancer dans la vie, des années et des liaisons plus tard, selon les circonstances, le temps et le lieu, il suffit d'un regard, d'un mot, d'un centimètre de peau entrevu pour que s'ouvre la porte derrière laquelle nous avons remisé nos souvenirs. Pour moi, ce sont les mains du Pacha, ces mêmes mains que j'ai vues étaler du foie gras sur un toast et me caresser la pointe des seins.

Dans un monde qui nous attribue le rôle exclusif de consommateurs, nous sommes tenus de ne vouloir que la nouveauté. Régulièrement, pourtant, ce qui nous tue est ce que Philip Roth appelle l'« effet boomerang d'un attachement érotique » dans *Exit le fantôme*. Autant ce qui demeure potentiel et non expérimenté séduit notre imagination romantique, autant ce qui fut un temps familier avant d'être oublié met le feu à nos fantasmes sexuels.

Mais d'où nous viennent réellement ces images soi-disant personnelles ? Nous sommes toujours au cinéma, le Pacha et moi, assis à regarder des acteurs simuler la passion dans ce navet. Grâce à ce genre de scène en plan serré, nous avons une idée haute définition de ce à quoi le sexe ressemble – du moins au cinéma. Pour ce qui est de la vraie vie, nous avons des documentaires, tel *A Girl's Guide to 21st Century Sex* (« Guide du sexe au XXIe siècle destiné aux filles »), qui avait recours à une minuscule caméra interne pour nous montrer ce que cela donne du point de vue de notre vagin.

À l'extrême sordide et morbide du spectre, des sondages récents montrent que les adolescents sont une des tranches d'âge les plus consommatrices de porno. S'ils regardent ces films, expliquent ces jeunes, c'est pour apprendre des trucs d'ordre technique. Sauf que cette confrontation visuelle du sexe, aussi explicite soit-elle, ne nous dit rien sur ce que nous ressentons. Comme dans tous les domaines, nous en savons plus qu'autrefois, mais de moins en moins par expérience directe. Beaucoup de ce que nous apprenons n'est pas enregistré en profondeur : nous n'en avons pas besoin car Internet fonctionne comme un gigantesque gestionnaire de mémoire collective. Notre éducation sexuelle se fait de moins en moins à partir de l'expérience, en corrigeant nos erreurs et en batifolant à droite et à gauche et de plus en plus en restant assis à regarder les autres s'envoyer en l'air.

Même sur les écrans, les personnages ont l'air de vivre ce type de situation comme s'ils lui étaient extérieurs. Prenons la série télé de Cynthia Mort, *Tell Me You Love Me* (2007) : les scènes de sexe sont glauques et totalement dépourvues d'érotisme. Entièrement tournée en super 16, la série saisit les moments les plus intimes à partir d'angles sophistiqués, des gros plans et une approche quasi clinique. Les hommes sont filmés nus, tels quels ; il y a très peu de maquillage ou de musique pour cacher quoi que ce soit. Souvent, la caméra saisit un détail révélateur : le regard d'un personnage déconnecté de l'instant qu'il vit qui observe tout, sauf son partenaire, aux prises avec une douleur ou un chagrin que le rapport physique le plus intense n'atteindra jamais. Des personnages nus, certes, mais entièrement habillés par leurs névroses.

La plupart du temps, le sexe tel qu'il est mis en scène est assez torride, les studios ayant recours à des chorégraphes sexuels pour s'en assurer. Alors, pourquoi s'étonner d'entendre des chercheurs américains dire que les adolescents, convaincus que la télé propose une image réaliste du sexe, ont beaucoup plus de chances d'être déçus par leur première expérience ? Trop d'intensité nuit à l'intensité. On a beau être dressé à vouloir baiser, le sexe qu'on nous vend est un hybride qui n'a pas grand-chose à voir avec ce dont chacun de nous fait l'expérience, du moins au début.

L'intimité a-t-elle encore une place dans tout ça ? À part quelques documentaires, nous savons que ce que nous voyons est de la fiction, c'est pourquoi nous nous révoltons plus volontiers contre les caméras de surveillance dans la rue que contre les caméras qui pénètrent chez nous et en nous. Pourtant, à chaque fois qu'un réalisateur nous entraîne dans une chambre, c'est tout notre espace imaginaire qui est envahi. En 1970 déjà, l'écrivain J. G. Ballard répondait à un journaliste de *Penthouse* : « Le sexe organique, corps contre corps, centimètre de peau contre centimètre de peau, ne sera bientôt plus possible, tout simplement parce que si quelque chose doit avoir du sens pour nous c'est en fonction des valeurs et des expériences telles qu'elles sont véhiculées par les médias. » Ballard soulignait notamment le rôle des progrès technologiques et de la communication qui « commencent à s'immiscer dans nos vies et à changer l'aménagement intérieur de nos fantasmes sexuels ».

Quarante ans plus tard, cet aménagement est celui d'un grand bordel kitsch. Un décor qui titille, mais un décor qui isole. On nous maintient à l'extérieur, passifs. Le porno online et les boîtes de strip-tease à la mode produisent le même effet : en faisant du spectateur un voyeur, elles l'isolent de son propre désir.

Au XVII^e siècle déjà, La Rochefoucauld écrivait que les gens ne tomberaient pas amoureux s'ils n'avaient jamais entendu parler de l'amour. « Il est du véritable amour comme de l'apparition des esprits, tout le monde en parle mais peu de gens en ont vu. » Or nous sommes de plus en plus réceptifs aux récits visuels.

Sur ma table de chevet, j'ai une carte postale intitulée « L'art de faire la cour », qui est la reproduction d'une plaque d'ivoire gravée sur le coffret d'un écrivain français du XIV^e siècle, exposé aujourd'hui au Metropolitan Museum of Art. Ce sont quatre scènes disposées deux par deux, chacune surmontée par une petite arche, qui se lisent comme un storyboard.

La première scène montre un homme poursuivant une femme qui le repousse d'une main timide, à la limite de la parodie. Sa main à lui a l'air de planer au-dessus du sein de la dame, même s'il est difficile d'apprécier la profondeur de champ. Sur la deuxième image, les deux personnages sont assis côte à côte. Elle tient sur ses genoux un renard domestique qui lève les yeux vers elle. L'homme a la cheville posée sur son genou et la remue avec un air enjoué, tout en glissant subrepticement son bras dans le dos de la dame. Avec sa main libre il lui saisit le menton. De toute évidence, il est sûr de lui, car dans la scène suivante tous deux jouent à un jeu, sans doute aux échecs, et leurs gestes semblent exprimer un différend. Aurait-il triché ? Ou elle ? La quatrième scène montre qu'il a obtenu ce qu'il voulait : il est à genoux à ses pieds, son bras à elle reposant sur son épaule à lui, le sien sur son ventre arrondi. Soit elle est enceinte, soit il lui fait une demande en mariage.

Quelque chose de réjouissant se dégage de la simplicité de ce pas de deux – de la tendresse, de la complicité. La deuxième scène est celle qui me semble la plus suggestive : la façon si délicate de lui prendre le menton au creux de la main, la caresse qui a dû commencer sur sa joue avant de glisser subtilement plus bas. Accepter que quelqu'un vous touche ainsi, n'est-ce pas le comble de l'intimité et de l'amour ? Au fond, cette plaque d'ivoire suggère une intimité beaucoup plus intense que la plupart des scènes de sexe que nous voyons aujourd'hui.

La liberté dont bénéficient nos réalisateurs est assez récente. À Hollywood, de 1934 à 1968, a sévi un code de production connu sous le nom de « code Hays » qui interdisait de représenter presque tout, du cambriolage à l'accouchement, et qui, évidemment, était particulièrement sévère dans le domaine du sexe. Nudité, adultère et « baisers excessifs et lascifs » étaient des activités illégales à partir du moment où le réalisateur lançait : « Silence, on tourne. » On censurait même ce qui était d'ordre symbolique.

Le lien entre l'âge d'or de Hollywood et l'époque du code Hays est-il une simple coïncidence ? Je ne sais pas si c'est parce que mon vœu de chasteté m'a rendue particulièrement sensible, mais chaque fois que je vois un film de cette période je suis frappée par la tension inouïe qui vibre entre les personnages. Comme la gratification physique est passible d'interdiction, elle est éternellement différée. Les hommes et les femmes tournent autour du pot sans rien mentionner d'explicite, badinant avec une tension explosive et s'envoyant des répliques si affûtées que certaines scènes semblent avoir été non seulement écrites, mais chorégraphiées à la ligne près.

Le réalisateur ne montre rien qu'un regard chaste ne saurait voir, mais l'effet est saisissant.

Ce qui me frappe aussi dans ces films, c'est la force des premiers rôles féminins. Prenons *Madame porte la culotte*, de George Cukor. Sorti en 1949, le film pourrait sembler daté. Katharine Hepburn y joue le rôle d'Amanda Bonner, une avocate qui s'appuie sur la rhétorique féministe pour défendre une femme qui a tiré sur son mari volage. Elle a face à elle le procureur qui n'est autre qu'Adam, son mari, joué par Spencer Tracy. Plus le procès avance, plus il fait la une des journaux et plus il soumet mari et femme à une forte pression. Les arguments que chacun a utilisés au cours du procès les poursuivent chez eux, quand ils se retrouvent face à face le soir.

La magie du film tient en grande partie à l'alchimie qui existe entre Katharine Hepburn et Spencer Tracy, mais elle vient aussi du scénario. Écrit par Ruth Gordon et Garson Kanin, également mari et femme à la ville, le scénario réserve des rôles de la même importance aux deux époux, mais c'est à Katharine Hepburn que reviennent les répliques les plus cinglantes et les plus acérées.

Comparons avec le rôle de Brooke joué par Jennifer Aniston dans *La Rupture*, comédie romantique de Peyton Reed sortie en 2006. Près de soixante ans plus tard, Brooke se bat pour que soit reconnu un type d'égalité beaucoup moins évolué et, en outre, sans bénéficier de répliques particulièrement percutantes. Elle voudrait que son ex, Gary, joué par Vince Vaughn, mûrisse et la traite comme un être humain à part entière, ce qui fait d'elle un personnage assez pathétique. Il n'y a pas de sexe, peu d'amour, et le moment le plus dramatique est celui où la pauvre Brooke se démène simplement pour que Gary la voie.

Betty Friedan, incarnation de la vieille garde féministe s'il en est, répondait il y a peu au magazine *People* : « Nous avons besoin de voir l'homme et la femme traités de façon égale, mais j'aurais du mal à vous citer des films qui y parviennent. Quand j'en parle autour de moi, on me cite des films qui datent de plus de quarante-cinq ans ! Hepburn et Tracy, typiques ! » L'interview date d'une dizaine d'années, mais on ne peut pas dire que la situation se soit beaucoup améliorée. Bien sûr, c'est plus compliqué que ça, les femmes n'ont pas complètement perdu la voix au chapitre en abandonnant toute pudeur à l'écran. Mais peu importe l'idée d'égalité, Hepburn et consorts sont dix fois plus marrantes ! Ce sont des femmes libres, intelligentes, douées d'un style et d'une classe inimitables. En outre ce sont souvent elles qui ont le mot de la fin, contrairement à Kathleen Kelly, l'héroïne de *Vous avez un message* (1998), jouée par Meg Ryan, qui n'arrête pas de fulminer. Le film est le remake d'un succès de 1940, *The Shop Around the Corner*, et j'avoue que je l'adore, mais, comme l'écrit Maria DiBattista dans *Fast-Talking Dames*, c'est l'histoire d'une femme qui ne trouve jamais les bons mots au bon moment et qui, quand elle les trouve, les regrette.

Mais revenons-en au sexe, car j'avoue qu'en ce troisième mois de chasteté il commence à me manquer. L'opinion générale veut que le divorce entre sexe et amour à l'écran date du code Hays, car ce serait à partir de là que le sexe aurait été associé à la violence, l'autre type de rapport humain interdit à l'écran. Sans doute. En tout cas, libéré du code Hays, Hollywood en rajouta en donnant l'image d'un sexe brillant, suant et gonflé à bloc. Le tout accompagné des bandes-sons géniales des années soixante, des coiffures extravagantes des années soixante-dix et du bronzage artificiel des années quatre-vingt. La violence n'était pas absente de ces films, mais l'on s'y aimait beaucoup et cet amour était exprimé par un montage très simple : images de draps satinés froissés suivies de brefs aperçus de chair.

Plus récemment, une vraie rupture entre sexe et amour semble avoir eu lieu. Comme on a tout vu, y compris des coïts non simulés, les réalisateurs ont l'air de se désintéresser du sujet. Aujourd'hui, le sujet tendance, c'est l'amour. Certes, la masturbation a la cote dans les films indépendants (Noah Baumbach a même obtenu de Nicole Kidman qu'elle accepte une telle scène dans *Les Berkmann se séparent*, en 2007), mais n'est-ce pas justement un signe d'aliénation sexuelle ? De même, si la nudité masculine frontale reste à la mode – on a vu Bart Simpson, personnage de BD, se déshabiller entièrement, par exemple, ou le producteur-réalisateur Judd Apatow s'engager publiquement à montrer un pénis dans chacun de ses films –, on ne peut pas dire que ces pénis aient droit à beaucoup d'action. Dans *En cloque, mode d'emploi* (2007), le personnage principal est un garçon cossard, tristounet mais finalement attachant, joué par Seth Rogen (dont, comme par hasard, l'unique souci est de constituer une banque de données sur les femmes nues au cinéma), qui a une chance inouïe parce qu'il arrive à attirer dans son lit une belle présentatrice de télé blonde. Sauf que très vite il ne s'amuse plus du tout et il a tellement bu qu'il ne se souvient de rien. Quelques semaines plus tard, elle lui annonce qu'elle est enceinte.

On peut également citer le film de Craig Gillepsie, *Une fiancée pas comme les autres* (2007). C'est l'histoire d'un jeune type qui se branche sur Internet pour trouver une fille. Quelques jours plus tard, celle-ci arrive dans un grand carton envoyé par DHL. En réalité, c'est une poupée grandeur nature en silicone. Les semaines passent, mais Lars et elle font chambre à part, et on ne les voit s'embrasser qu'une fois. Puis le film finit par être une véritable histoire d'amour. (Le fait que le rôle principal soit tenu par ce que l'un des personnages qualifie de « grand machin en plastique » n'est pas de très bon augure pour les actrices.)

Comparées aux *Liaisons dangereuses* en noir et blanc, ces histoires d'amour ne sont-elles pas bien… chastes ?

Les réalisateurs de l'ère Hays étaient les champions du passage à l'acte éternellement différé. Aujourd'hui, une telle contrainte est impensable. On passe tellement vite au lit qu'un scénario où deux personnages se font la cour est inimaginable.

Quand j'y pense, cependant, les rapports que j'ai avec Bel Ami n'en sont pas loin. Pour des raisons liées à la géographie et à une différence d'âge importante, le rythme de nos entrevues a nettement ralenti, cela dit, les moments que nous avons passés ensemble sans consommer sont parmi les moments les plus idylliques que j'aie connus.

Je me souviens après notre deuxième ou troisième dîner, nous nous dirigions tranquillement vers le métro. C'était en automne. La brume tournoyait autour des réverbères et accompagnait l'odeur de paille qui se dégageait des feuilles mortes craquant sous nos pieds. Nous sommes passés devant un bâtiment massif en brique rouge, un peu en retrait, quand soudain une musique style big band a retenti. Sans hésiter, nous sommes allés voir et nous sommes retrouvés dans une immense salle de bal où des couples habillés dans le style des années cinquante dansaient un swing du feu de Dieu. Nous n'avons pas dansé, mais je me souviens d'une fin de soirée emportée par le rythme de ces joyeux fêtards inattendus, les femmes virevoltant avec leurs jupes amples et les hommes frimant dans leurs costumes de mac.

Je n'ai pris des cours de danse de salon qu'une fois dans ma vie, à New York, la semaine qui précéda le mariage de mon amie Victoria. Nous, les femmes, n'avions qu'à suivre les hommes, sauf que nous étions incapables de nous laisser mener. Exaspéré, le professeur nous avait menacées de nous bander les yeux. En outre, nous étions un peu gênées parce que nos cavaliers étaient les garçons d'honneur du mariage : nous les connaissions un peu, mais pas vraiment. Du coup, il était difficile de ne pas rougir quand on se retrouvait en train de les retenir ou d'être retenues par eux dans des positions aussi codifiées. Nous faisions tout pour éviter que nos regards se croisent. Nous avions les mains aussi moites que des tourtereaux des années cinquante. Au fond, c'était assez excitant, mais d'une façon qui nous était étrangère et dont nous ne savions que faire.

Beaucoup de situations sont plus excitantes que le sexe lui-même : je l'ai compris à l'âge de quatorze ans, le jour où un nouveau est arrivé dans ma classe. Il s'appelait Luke, il était blond et plutôt malin, mais très discret, et cachait bien son jeu. Son père était dans l'armée, et il savait parfaitement répondre à l'appel de façon à s'intégrer en cours d'année sans faire de vagues. Comme moi, il jouait de la clarinette. Il était brillant et se fichait de ce que les autres pensaient.

Assez vite, nous avons pris des cours de clarinette ensemble. Nous avons commencé à jouer des duos – des duos de jazz à la cadence sensuelle et au rythme syncopé. Des airs qui évoquent des bars sombres et enfumés, le plaisir de s'abandonner au petit matin ou les pistes de danse à l'époque de la guerre, quand la tension était tangible à cause de la mort qui planait.

Je me souviens en particulier d'un jour où Luke et moi étions debout côte à côte, assez proches pour lire la même partition. C'était en été, et le va-et-vient rythmé de nos deux mélopées exprimait quelque chose qu'à l'époque je ne connaissais qu'à travers la musique. Aujourd'hui encore j'ai du mal à trouver une sensation qui soit aussi intense, si ce n'est le plaisir sexuel. Le soleil inondait la partition et les examens ne devaient pas être loin parce que j'avais une conscience extrêmement aiguë de la fragilité de l'instant, comme s'il était déjà teinté de nostalgie. *Je m'en souviendrai comme d'un instant idyllique*, me disais-je en silence.

La majorité d'entre nous se rappellent la première fois, en revanche, la plupart perdent de vue l'autre première fois – celle où nous avons découvert la « mécanique sexuelle ». Je ne sais plus quel âge j'avais, mais ma mère m'a dit que lorsque j'ai eu l'âge de comprendre j'ai tout simplement refusé de la croire. Tout ça me paraissait bizarre et je préférais ma version à moi, dans laquelle un spermatozoïde traversait les draps en se tortillant tel un petit têtard pour aller de papa à maman.

Puis j'ai tout oublié jusqu'à la puberté, et, là, le sexe est devenu autre chose, une sensation. Est-ce ainsi que nous le vivons tous au début ? En devenant cramoisi le jour où nous tombons sur un passage croustillant dans un livre, par exemple ? En tout cas, c'est ce qui m'est arrivé à l'âge de onze ans. Nous étions en vacances au pays de Galles et nous logions dans une chapelle reconvertie. Il pleuvait et j'étais en train de regarder les bouquins sur l'étagère quand je suis tombée sur un livre bourré de détails croustillants. C'était sans doute le best-seller de l'époque, *Les Joies du sexe*. Il y avait des illustrations, mais rien de très méchant, des croquis au trait que l'imagination du lecteur pouvait mettre en couleur en toute liberté.

À mesure que nous grandissons, le sexe devient une manière de répondre aux mystères qui nous interpellent depuis l'enfance, notamment au plus grand de tous, la mort. Pour moi, je crois que ce fut longtemps une façon de réagir à une sorte d'aspiration que j'ai toujours sentie en moi, avant même d'avoir les mots pour le dire. Si je devais évoquer un souvenir qui pourrait le résumer, ce serait le suivant : j'ai sept ou huit ans et je n'arrive pas à dormir. Un silence propice à l'imagination règne dans ma chambre, dont les murs sont couverts de papier peint rose vibrant de papillons. Les rideaux forment comme un grand chapiteau avec un haut qui ressemble à une bannière encadrant des jongleurs, des phoques et des trapèzes sur un fond blanc étoilé.

La maison est ancienne, les murs craquent et grincent. Le toit de chaume ajoute une odeur de renfermé au parfum qui pour moi est synonyme de « chez moi » : un mélange de laine, de bois et d'objets que l'on rapporte de l'extérieur. J'entends la radio, ou la télévision, allumée en bas. Puis un rire, préenregistré ou réel, et, un peu après, des couverts qui tintent contre de la vaisselle, un cliquetis synonyme de mauvaise humeur qui parfois se métamorphose en cris et portes qui claquent.

Mais ce qui me maintient en éveil, c'est autre chose. Une aspiration liée à la saison, à l'heure et à la lumière : les premiers jours de l'été, le début de la soirée, le coucher du soleil comme une pêche rosée. Aujourd'hui encore, le cri d'un pigeon, cette espèce de raclement de gorge mélodieux, me renvoie immédiatement à cette maison aux plafonds bas, dont les fenêtres donnaient sur un jardin très vert planté d'arbres, juste assez grand pour suggérer de nouvelles perspectives, un au-delà qui m'était refusé.

À présent, je sais que la réponse à cette aspiration n'était pas le sexe, en tout cas, pas sous cette forme rapide et sans engagement. J'imagine que la musique m'a apporté une forme de réponse à un moment, mais le sexe, surtout tel qu'il est présenté sur grand écran, est une réalité tellement puissante que la musique m'a bientôt semblé faible à côté. Henry Havelock Ellis, sexologue du début du XX^e^ siècle, écrivait dans une de ses *Études de psychologie sexuelle* que « l'étreinte sexuelle ne peut se comparer qu'avec la musique ou la prière ». Depuis, la pratique religieuse a largement été remplacée par cette étreinte. Hélas, les images qu'on nous impose réduisent notre vocabulaire érotique et nous privent de la possibilité de créer nos propres fantasmes afin que le sexe soit une des formes d'expression de soi.

Différer la satisfaction ne signifie pas simplement que le plaisir suprême, quand il arrive, est plus intense. Comme le montrent les vieux films en noir et blanc, cette tension rend le monde autour de nous plus excitant et le sexe lui-même multidimensionnel. Ou serait-ce mon vœu qui me fait écrire cela ?

# 6

# Décembre ou Faire la fête

« Luxure ! luxure ! Toujours la guerre et la luxure ! Il n'y a qu'elles qui soient toujours de mode. »

Shakespeare, *Troïlus et Cressida*

Sur le seuil de ma porte, un homme me tend un bouquet de fleurs sublime. C'est un mélange de tulipes rouges dont les pétales entourent un cœur fuligineux de pivoines rouges nouées serrées et, bien sûr, de roses rouges, dont certaines sont encore fermées et d'autres déjà s'abandonnent. Transportée de bonheur, je pique un léger fard. Tiens, tiens, quand est-ce que j'ai piqué un fard pour la dernière fois ? me demandé-je.

Si j'étais sujette aux évanouissements, je serais en train de m'écrouler en réclamant des sels. Après trois mois de chasteté, on ne sait jamais, sauf que mon couloir n'est pas assez large pour permettre de s'effondrer avec élégance, et je manque d'entraînement. C'est pourquoi je fais juste un pas de côté afin que mon invité entre. Un drôle de pas de deux suit tandis que nous hésitons entre le baiser sur la joue, l'accolade amicale et la simple poignée de main. Les fleurs occupent tout l'espace entre nous, de plus en plus rouges, de plus en plus épanouies, à tel point qu'elles étouffent les bruits de la demi-douzaine d'invités affamés qui attendent dans mon salon.

J'avoue que j'ai un immense faible pour les fleurs. Autant je n'ai pas la main verte, autant les fleurs cueillies et rassemblées en bouquet ont quelque chose de magique, que ce soient des tulipes bon marché ou des lis à la tête lourde. Est-ce parce qu'elles sont une image de l'alliance entre vie et mort ? Fauchées en pleine croissance, les fleurs concentrent toute leur énergie dans cette explosion éphémère de couleurs et de parfums. À vrai dire, je pense que c'est beaucoup plus simple que ça. Les fleurs sont à la fois le comble de la frivolité et essentielles, ni plus ni moins.

Curieusement, dans mon esprit, elles ne sont pas liées à la notion d'amour. J'ai toujours vu les femmes de ma famille en acheter elles-mêmes ou s'en offrir entre elles. Je ne me souviens pas d'avoir vu mon père offrir des fleurs à ma mère une seule fois quand j'étais petite. En revanche, tous les vendredis matin, ma mère descendait à vélo jusqu'à la bourgade la plus proche pour aller au marché du Women's Institute de la région. Ce marché avait lieu dans une grande halle où elle achetait les fleurs les plus insolites et les plus éclatantes, revenant avec des asters d'automne, des lupins, des digitales et… des tranches de pudding au citron fait maison.

Ses relations avec sa propre mère étaient compliquées, beaucoup plus que ce que je pouvais comprendre quand j'étais enfant. Mais, comme elle voulait que ma sœur et moi nous ayons une grand-mère, nous allions rendre visite à Granny (ainsi l'appelions-nous) plusieurs fois par an. Elle avait un labrador noir, Bessy, un brave clebs maladroit mais sympa, tellement gras qu'il nous faisait mal quand il marchait sur nos sandales, et qui était aux anges quand on passait l'aspirateur sur ses poils. Quand nous étions à table, balançant les jambes et trempant nos mouillettes dans notre œuf à la coque, il se couchait à nos pieds et agitait la queue sur le linoléum en attendant les miettes. Puis nous allions voir Nettie, la chèvre, qui vivait au milieu des poules et s'échappait pour aller brouter du côté des roses. Granny nous donnait à chacune un paquet de Maltesers et allait cueillir des fleurs de son jardin destinées à notre mère, après les avoir enroulées soigneusement dans du papier de journal mouillé pour le trajet du retour.

Quand c'était le tour de Granny de venir nous voir, je me postais derrière la fenêtre du salon pour guetter son arrivée. J'installais derrière moi mes poupées préférées, mais quand, enfin, elle débarquait, elle jetait à peine un regard sur elles et repartait très vite, une tasse de thé à la main, pour aller dans la remise où notre père avait installé son atelier d'encadrement. C'était une femme qui aimait les hommes, certainement pas une femme attirée par les petites filles, encore moins par les poupées. Néanmoins, nous faisions de sacrées descentes au village pour acheter des gâteaux avec elle, et, quand elle repartait, c'était toujours avec un petit bouquet de fleurs du jardin.

Jusqu'ici, je n'avais reçu de fleurs de la part d'un homme que deux fois dans ma vie. La première fois, c'était un garçon que j'avais invité pour mes vingt ans : il m'avait envoyé des fleurs pour s'excuser de son absence. La seconde fois, de la part de Dan : il m'avait offert des freesias et des jonquilles le jour de la Saint-Valentin. Or voilà qu'au troisième mois de mon année de chasteté j'ai face à moi un prétendant qui m'apporte un bouquet d'une beauté outrageuse, beaucoup trop pour quelqu'un que j'ai invité à dîner au dernier moment.

Je m'en souviens, depuis, sous le nom de M. Vermillon, un nom qui lui va à bien des égards, avec tout ce qu'il connote de chic. Car M. Vermillon est architecte et un peu esthète : boucles auburn, costume à la coupe raffinée, petit foulard rayé de couleurs vives qu'il retire avec élégance en arrivant. Son allure est un tantinet démodée ; son affabilité rappelle une photo sépia malgré son foulard bigarré. Sa voix est profonde, onctueuse, et dégage une vraie gaieté. Il éclate souvent de rire, et aussitôt son visage fait penser à celui des acteurs de comédies classiques, plus Jack Lemmon que Gary Grant.

En cette période de fin d'année, le bouquet de M. Vermillon présente des analogies avec les plantes à feuilles persistantes et le gui des fêtes païennes. Les fleurs sont un vrai langage, et un bouquet peut être aussi provocateur qu'une paire de bas résilles ou des yeux au maquillage charbonneux. Il existe d'ailleurs un antidote naturel au désir, *le Vitex agnus-castus*, le gattilier, appelé aussi « arbre chaste » à cause de ses petits fruits ronds, dits « poivre des moines », réputés calmer la libido.

En bons lecteurs de Freud, nous avons tous une grille de lecture du monde en partie liée au sexe. Voici ce qu'écrivait le père de la psychanalyse : « Analysez n'importe quelle émotion humaine, aussi éloignée soit-elle de la sphère sexuelle, vous pouvez être sûr que quelque part vous y découvrirez la pulsion originelle grâce à laquelle la vie se perpétue. » Cela valait aussi pour les rêves, que Freud interprétait comme des expressions de cette pulsion première. Sa gamme de symboles sexuels est vaste, puisqu'elle va des plus évidents (bâtons, troncs d'arbres, parapluies) aux plus inattendus, limite pervers (murs lisses et tables dressées pour le dîner), en passant par les cravates, les limes à ongles et toutes sortes de machineries compliquées. On dirait des inventaires à la Prévert, et je dois dire qu'ils incitent les esprits chastes à s'égarer dans des directions peu recommandables.

Pour en revenir à M. Vermillon, je l'avais rencontré quelques semaines avant mon dîner dans un contexte professionnel, parce qu'on m'avait envoyée l'interviewer.

Carte de Londres en main, je m'étais retrouvée dans un quartier de la ville que je connaissais à peine, un mélange de logements sociaux avec des balcons et des petites maisons attenantes du début du XXe siècle. En tournant au bout d'une rue, j'étais tombée sur une espèce de minizone industrielle – c'était là qu'habitait M. Vermillon.

Il était plus jeune que je ne le pensais, une petite quarantaine, alors que je m'attendais à la cinquantaine. Son appartement était un grand cube blanc qui ressemblait plus à une galerie qu'à un espace privé, à tel point que le thé et les biscuits semblaient incongrus. C'est pourtant bien ce qu'il apporta pendant que je préparais de quoi enregistrer notre entretien et sortais mon carnet de notes.

Vous avez deux façons de vous y prendre pour une interview. Soit vous la jouez sympa pour que la personne vous révèle quelque chose qui dépasse l'image construite qu'elle vous présente, soit vous êtes plus perfide et vous lui lancez des piques, vous la provoquez et vous arrivez à la coincer, toujours pour qu'elle abandonne ses défenses. En général, par lâcheté plus que pour des raisons tactiques, je choisis la première stratégie. Parfois, ça marche. Parfois… eh bien, parfois, je suis sûre de me planter, quoi que je fasse. M. Vermillon, lui, allait me réserver une série de surprises.

Nous étions assis l'un à côté de l'autre devant une longue table face à une porte-fenêtre qui donnait sur une minuscule cour où la lumière déclinait. À mesure que je posais mes questions et qu'il répondait, le cours de la discussion faisait des boucles, se perdait dans des impasses ou prenait au contraire un chemin pittoresque. On se resservait du thé, les biscuits étaient bons… Le journal m'avait envoyé un photographe, dont l'arrivée aurait dû me signaler que c'était bientôt le moment de partir, mais la conversation s'est poursuivie alors que M. Vermillon prenait la pose sous les flashes. Le photographe fut surpris d'apprendre que nous venions de faire connaissance.

Le journaliste qui mène l'interview a le droit de poser toutes sortes de questions, même les plus indiscrètes. À certains égards, donc, un entretien devrait être la meilleure façon de faire connaissance d'un homme et de le tester. Ce jour-là, M. Vermillon m'a d'ailleurs laissé son CV pour que je vérifie les dates et les données qu'il m'avait données. Une interview a parfois des allures de *speed dating*, en plus intense, le plus surprenant n'étant pas qu'un entretien ressemble à un premier rendez-vous galant, mais, au contraire, qu'un premier rendez-vous ressemble à un entretien. Nous sommes tous d'excellents acteurs quand il s'agit de jouer notre propre rôle, et plus nous accumulons les expériences, plus nous nous améliorons. Nous sommes même capables de continuer au lit.

On aurait pu penser que la période de Noël ferait exception, que nous abandonnerions nos masques pour être nous-mêmes. Après tout, c'est un moment exceptionnel, tout le monde se laisse aller à la recherche d'un plaisir élémentaire :

on dépense plus, on mange plus, on se bécote plus… Honte à moi car j'ai fait vœu de chasteté, c'est le mot « orgie » qui me vient à l'esprit.

J'ai toujours pensé que Noël était un moment où on pouvait lâcher ses cheveux et se détendre, or je m'aperçois que c'est tout le contraire, surtout pour les femmes. Nous avons le droit de les lâcher mais seulement après les avoir tirés un maximum. De même, nous infligeons à notre chair un traitement cauchemardesque, en la comprimant pour qu'elle entre dans des camisoles plus sophistiquées qu'un corset d'un point de vue technologique, mais dont la fonction n'est guère différente : mouler, contenir et écraser notre corps pour l'obliger à se conformer à d'impossibles idéaux. Et que dire du maquillage !

Cela dit, je m'arrête, parce que s'habiller est aussi un plaisir, et loin de moi l'idée de le déplorer. Ce qui me frappe aujourd'hui, néanmoins, c'est la pression à laquelle nous sommes soumises. Tous les magazines féminins, qu'ils soient chics ou *cheap*, sont remplis de conseils destinés à nous rendre plus séduisantes aux yeux de la gent masculine. Même la presse pour hommes s'y met. Noël est devenu tellement commercial que plus personne ne songe à s'en plaindre, mais comme je me sens marginale par rapport à ces réjouissances obligées, une chose me choque : non pas à quel point nous consommons, mais à quel point nous sommes devenues des esclaves prêtes à vendre nos charmes. Le sex-appeal est la seule chose qui compte, et nous sommes tellement obnubilées par l'idée d'en avoir – ou de le fabriquer puisque que tout nous encourage à penser que c'est un atout qui peut se créer – que nous oublions de nous interroger pour savoir si nous avons vraiment envie d'avoir ce type-là de sex-appeal.

Vaille que vaille, nous tâchons d'affirmer notre identité sexuelle, mais la plupart de nos repères ne viennent pas de nous-mêmes, ils nous sont imposés de l'extérieur : les films, les séries télé, les paroles des chansons, et tout simplement le vocabulaire de tous les jours. À deux ans et demi, j'ai appelé une petite girafe que j'adorais Bimbo. C'était à la fin des années soixante-dix, à une époque où on ne vendait pas encore de kits de *pole dance* pour les petites filles, ni de lits roses baptisés « Lolita », ni de versions jeunesse de la presse féminine, comme *Elle girl*. Il n'y avait pas non plus de poupées Bratz avec de grosses lèvres boudeuses et des regards aguicheurs qui vous font de l'œil sur les emballages de tablettes de chocolat placées juste à portée des petites mains potelées des gamins dans leurs poussettes.

Cela dit, nous avions des poupées Barbie ou Sindy. À six ans déjà, nous, les filles, savions que le physique lisse et plastique de ces poupées était conçu pour nous transmettre un message. Lequel ? nous ne le savions pas exactement, mais nous avions l'intuition qu'il s'agissait de quelque chose qui nous était interdit. Était-ce pour ça que nous délaissions les corps bronzés et musclés de ces poupées pour ne jouer qu'avec leurs têtes ? Nous débattions pour savoir comment les coiffer, nous les pomponnions… En fait, loin de la vie fabuleuse qu'elles devaient incarner, ces pauvres petites choses avaient des vies pépères, tristounettes et plutôt laborieuses. Elles s'inquiétaient parce qu'il fallait aller chercher les enfants à l'école à l'heure, elles rêvaient de nouveaux parfums pour leurs SodaStream… Et, à la fin de la journée, on rassemblait les têtes et les corps, même s'il y avait toujours une tête qui traînait au fond de la besace de l'une ou de l'autre.

L'accessoire le plus convoité était les chaussures. En plastique, mous, ces escarpins avaient cependant tout ce dont je rêvais depuis que j'avais sept ans : des talons hauts, des bouts pointus et le lustre cuivré du cuir naturel. Inutile de dire que je n'avais jamais eu droit à de tels escarpins. Je devais me contenter de godillots au bout bien rond, avec des boucles et, éventuellement, un petit détail amusant. Chaque année, les courses de la rentrée donnaient lieu à une bagarre entre ma mère et moi quand on en arrivait aux chaussures. À chaque fois, nous finissions dans le même magasin, où les chaussures pour enfants étaient au sous-sol. Ça sentait le renfermé, partout traînaient des boîtes abandonnées et des baskets perdues ; les parents s'entassaient sur les banquettes, épuisés et encombrés de sacs en plastique bourrés de compas et d'équerres. Souvent, un ou deux gamins piquaient une crise et se roulaient par terre, ce qui me rassurait puisque j'étais un modèle de sagesse à côté – jusqu'à ce que la vendeuse arrive et soulève le couvercle des boîtes des différents modèles qu'elle avait à nous proposer. Le pied posé sur un de ces minitabourets munis d'une règle qui mesure le pied en hauteur et en largeur, je voyais déjà rouge. « Non, jamais, jamais tu ne me feras porter celles-là ! » hurlais-je, plus odieuse qu'une journaliste de mode en herbe. La contradiction entre ma grossièreté et la qualité princière des chaussures que j'exigeais était criante, mais elle m'échappait.

À ce stade, ma mère se levait et s'en allait ostensiblement voir ailleurs, m'abandonnant et désavouant la sale gosse que j'étais. Comme tous les parents, elle savait que ces vendeuses à l'uniforme marron avaient une arme secrète. Une fois que le bambin avait accepté une paire que ses parents avaient accepté de payer, la vendeuse l'emmenait manu militari devant l'entrée de la réserve où une dame plus âgée et plus sévère s'accroupissait et écrasait d'une main de fer le bout de la chaussure pour vérifier que le pied pût prendre un ou deux centimètres et que la forme de la chaussure épousait bien sa forme.

À l'époque, j'avais une amie, Tracy, qui, elle, portait toujours les chaussures dont je rêvais. Elle était fille unique et vivait dans un quartier de coquets petits pavillons. Nous jouions toujours aux grandes personnes, qui, je m'en rends compte aujourd'hui, avaient des vies assez ennuyeuses. Car nous ne faisions pas grand-chose, à part aller et venir en nous pavanant autour de son pavillon. À dix ans, nous pensions qu'être adulte était une façon de marcher, de se tenir, quelque chose que l'on projetait de l'intérieur de soi. Les seuls accessoires dont nous avions besoin étaient des chaussures et un sac à main. Or Tracy en avait une collection impressionnante. Je ne pense pas avoir porté des chaussures et un sac assortis depuis, mais c'est ainsi que nous aimions parader ensemble à l'époque.

Un jour, alors que nous attendions que mon père vienne me chercher, elle m'a tendu un sac avec les escarpins que j'avais portés l'après-midi même en m'annonçant : « Tiens, c'est pour toi. » J'ai serré contre ma poitrine ce cadeau inespéré pendant tout le trajet du retour et, à peine arrivée, j'ai foncé dans ma chambre pour les admirer. Ils étaient gris, avec un léger talon aiguille et un bout pointu, et sur le côté extérieur des petits boutons, également gris. Mais, curieusement, posés sur mon lit rose de petite fille, ils avaient tout perdu. Ils n'avaient plus rien à voir avec ce qu'ils étaient dans le monde magique que j'avais inventé avec Tracy.

Autant je savais que ma mère serait horrifiée par ces escarpins, autant je ne m'attendais pas qu'elle m'oblige à les jeter. Évidemment, j'ai résisté, mais pas tant que ça : quelque part, je savais qu'elle avait raison. Avant de leur faire mes adieux définitifs, je les ai mis et suis allée faire un dernier petit tour dans le jardin couvert de gravier derrière la maison. Nul ! Sans le tarmac, il manquait le clic-clac bien net des talons et l'impression vertigineuse d'être adulte qui allait avec. Tout était donc dans ce clic-clac magique !

J'ai attendu douze ans pour m'offrir des escarpins qui rivalisent avec ceux-là. À la fac, comme toutes les filles, je portais des chaussures plates et sans histoire, mais, quelques mois à peine après avoir signé pour mon premier vrai boulot, je me suis acheté une paire de ballerines en soldes. Elles avaient de tous petits talons, mais j'étais grisée parce qu'elles résonnaient sur les trottoirs et dans le grand hall d'entrée de mon bureau. Elles avaient un bout assez pointu et dégageaient joliment le cou-de-pied. J'avais un ami qui appelait ça le « décolleté des pieds », ce qui m'enchantait, et chaque fois qu'il me voyait les porter il jetait dessus un regard coquin.

Je les aimais tellement, ces ballerines, que je m'en suis acheté une seconde paire avant la fin des soldes. À l'époque, je m'étais laissé pousser les cheveux pour effacer une coupe ratée – courts derrière et dégradés sur les côtés, genre Victoria Beckham, et genre coiffeur stagiaire s'entraînant avec un prix réduit pour la cliente ! Or, soudain, des hommes qui ne m'avaient jamais jeté le moindre regard s'intéressèrent à moi. Était-ce dû à autre chose ? En tout cas, ça coïncidait avec les cheveux longs et les jolies ballerines.

Aujourd'hui encore, si je n'ai pas porté de talons pendant un certain temps, il suffit que j'en mette pour avoir l'impression d'être prête à sortir. Je cours autour de mon appartement, toujours en retard, je fais tout dans le désordre et tout à coup je me retrouve avec des chaussures à talons alors que je suis à peine habillée : un ou deux centimètres, et aussitôt j'ai la pêche et le courage de m'infliger les dernières petites corvées, style me brosser les dents.

Mon carnet de bal de fin d'année n'est pas très fourni, néanmoins, je suis invitée à une fête qui m'amuse et pour laquelle j'ai décidé de porter des talons. La soirée est organisée par un certain N. Nous nous sommes rencontrés dans un festival de musique trois ou quatre ans plus tôt, et, même si nous nous sommes peu vraiment revus (il vit à New York, mais depuis peu), régulièrement, nous essayons de nous donner rendez-vous, ainsi, au moment où j'en conclus qu'il a disparu de ma vie, paf ! je reçois un mail de lui. À part ça, que dire de N ? Il a plus ou moins mon âge, il est guitariste dans un groupe de rock, et c'est le seul homme que je connaisse à qui la queue-de-cheval ne va pas trop mal. La fête a lieu chez son frère, qui fait une belle carrière à la City et possède un appartement au bord de la Tamise.

Il se trouve que Bel Ami est aussi à Londres en ce moment, et, comme nous ne nous sommes pas vus depuis un bail, je lui ai proposé de loger chez moi. Le jour même de la fête, il débarque directement de l'aéroport à mon bureau, et je descends l'accueillir dans le hall. C'est la première fois que je le vois dans mon univers professionnel et non pas dans son monde à lui, où je suis toujours beaucoup plus jeune que tous ceux à qui il me présente. Soudain, je le trouve fatigué, moins grand que dans mon souvenir. Nous nous dirigeons vers l'escalator et je lutte pour ne pas retirer une pellicule qui traîne sur l'épaule de sa veste.

Le soir, nous allons ensemble à la fête. Bel Ami et N n'accrochent pas. Si c'étaient deux femmes, ce serait verbal, mais, comme ce sont des hommes, c'est physique. Non pas qu'ils se balancent des coups de poing, mais ils tournent l'un autour de l'autre comme le font les hommes, jusqu'au moment où N pose un plat de crudités sous le nez de Bel Ami. Celui-ci engouffre une poignée de carottes crues puis repère un plateau de canapés au saumon fumé et s'éloigne, m'abandonnant avec N.

N, je l'avoue, est plus beau que dans mon souvenir. Il porte un vrai costume, sans doute en signe de respect pour son grand frère, et une cravate, même s'il ne peut s'empêcher de tirer dessus, de même qu'il passe la main dans sa crinière blonde, heureusement coupée trop courte pour qu'il puisse se faire une queue-de-cheval. Il est grand, et maladroit à tel point qu'il ne semble pas à sa place dans cet appartement total bobo et fier de l'être. Tout en tripotant la cravate autour de son cou, il fixe mon cou à moi. Je porte mon chemisier vaporeux boutonné jusqu'en haut avec un simple gilet.

– Tu as l'air un peu… coincée, me dit-il.

C'est la première fois que quelqu'un se permet un commentaire sur mon changement de look. Je me sens brusquement mise à nu. Heureusement, il ne voulait pas me blesser, et un silence à peine gêné s'installe entre nous, il la joue l'hôte parfait, remplit mon verre et attrape quelques canapés au passage. Arrive alors une blonde immaculée avec un pull en cachemire crème et des boots à talons aiguilles. La fille se dirige vers nous. Ouf ! on est sauvés. Mais N passe de nouveau la main dans ses cheveux, signe de malaise. La nouvelle venue me dévisage en attrapant une saucisse cocktail.

– T'es sa nouvelle copine ? me demande-t-elle. Remarque, t'es peut-être pas au courant. La dernière ne l'était pas.

Plus tard, une fois rentrée chez moi, j'installe Bel Ami dans la chambre d'amis et je remarque que la pellicule que j'avais cru voir sur son épaule est une légère déchirure – lui qui est toujours si soigné ! Je ferme la porte de sa chambre et, en entrant dans la mienne, je sens un élan d'affection pour cet homme avec qui je joue au chat et à la souris depuis plusieurs années. En même temps, je suis soulagée qu'il dorme là où il dort. Avant, j'aurais été trop occupée à jauger les forces d'attraction entre nous pour apprécier la tendresse de notre amitié. J'étais sur le qui-vive, incapable de le voir calmement comme ce soir. Grâce à mon vœu de chasteté, j'apprécie notre relation telle qu'elle est, poursuivant miraculeusement son cours malgré des hauts et des bas. Un jour, je lui avouerai mon vœu et je suis sûre qu'il comprendra tout de suite ce que la plupart des gens ont besoin que je leur explique. Mais plus tard… Pour l'instant, j'ai honte de le dire, mais je profite de mon secret et de l'immunité, ou de l'avantage, qu'il me donne dans notre petit jeu permanent où l'un court toujours après l'autre.

C'est ainsi que les deux journées suivantes filent et s'achèvent avec le dîner qui voit débarquer M. Vermillon et son sublime bouquet. Le lendemain matin, à l'aube, Bel Ami descend avec sa valise, m'embrasse rapidement sur la joue et disparaît. Il m'envoie un SMS de l'aéroport, et pour une fois je ne me sens pas obligée d'y voir un quelconque sous-entendu mais un simple merci, courtois, gentil et teinté de cette mélancolie douce-amère qui lui est propre… Je suis tellement habituée à envisager le sexe comme l'aboutissement de toute histoire que jamais je ne m'étais dit que notre relation était parfaite telle qu'elle était.

# 7

# Janvier ou Sobriété sexuelle

> « Évitez de prendre un verre après le théâtre car il est forcément un peu tard et cela risque de donner des idées au jeune homme. Inutile de dire que vous attendez un appel de l'autre bout du monde, et, s'il vous fait le coup des estampes japonaises, filez illico. »
>
> Alice-Leone Moats, *No Nice Girl Swears* (« Une jeune fille bien élevée ne jure pas »)

Dès que cela touche notre vie amoureuse, même les plus cartésiens d'entre nous sont incapables de résister à la tentation d'interpréter le moindre présage. Nous sommes là, rivés sur les textos qui nous arrivent ou scrutant le fond de notre verre de vin comme on lit dans les feuilles de thé ou le marc de café au fond d'une tasse. Peut-être est-ce une façon irrationnelle de réagir à un style de vie qui ne l'est pas moins. Je connais une jeune publicitaire de trente ans et des poussières qui, le jour, gère des budgets colossaux avec un professionnalisme irréprochable et qui, la nuit venue, sort au clair de lune pour se livrer à des rituels extravagants suivant les instructions d'une sorcière blanche qui a son site Web.

Personnellement, je n'ai jamais eu recours à la magie, mais je ne peux m'empêcher de toucher du bois, de formuler des vœux en fermant les yeux ou de trembler si je vois une pie qui traverse la route. J'essaie d'éviter l'astrologie pour les mêmes raisons. Ceux qui en sont férus considèrent que c'est une vraie science, mais, chez moi, c'est mon côté superstitieux qu'elle touche, et il suffirait de peu pour que je me retrouve envahie de boules de cristal et d'amulettes genre new age. Néanmoins, j'ai tendance à croire que les personnes appartenant à la même culture et nées le même jour partagent certains traits de caractère. Ça paraît assez logique, non ?

Mon anniversaire à moi tombe au début du mois de janvier. Comme si c'était une punition par rapport aux excès de décembre, c'est le mois le plus froid de l'année, et nous en profitons pour prendre des bonnes résolutions. De mon côté, cette année, j'estime que j'ai pris assez de bonnes résolutions, et pour la première fois je réalise que le fait d'être née au tout début de l'année explique que je croie tellement à l'idée de nouveau départ, de page blanche et de vertu retrouvée. Or, si vous y croyez vraiment, le raisonnement est simple : vous pouvez bien vous accorder quelques moments de débauche de temps à autre, non ? Mon ami Krish, fan de yoga, m'a dit un jour que l'anniversaire de chacun est son nouvel an personnel. Le mien étant très proche du nouvel an général, j'ai donc deux fois plus de chances de me bercer de ces illusions vertigineuses. D'où peut-être aussi un goût pour les extrêmes, genre tout ou rien, totale chasteté pendant un an. Ce qui est certain, c'est que j'ai grandi avec l'idée que les bonnes choses arrivent au même moment et souvent avec un certain excès.

Cette année, je fête tranquillement le nouvel an avec ma sœur, ma mère et quelques cocktails Manhattan. Dans chaque verre flotte une petite cerise au marasquin, emblème comique de la virginité. Et mon anniversaire ? Je n'organise pas de vraie fête, mais j'invite quand même quelques amis dans un bar. Le jour venu, en fin d'après-midi, je me change à toute vitesse dans les toilettes de mon bureau quand soudain je m'aperçois que je me suis trompée, j'ai pris des bas, des vrais, qui nécessitent un porte-jarretelles. Au secours ! Je sors et me précipite dans le premier grand magasin avant de filer rejoindre mes amis.

Deuxième changement, cette fois-ci dans les toilettes du bar. J'enfile mes nouveaux collants et… merde, dans la panique, j'ai acheté des espèces de leggings qui ne couvrent pas les orteils. J'ai du mal à croire qu'il y ait un marché pour les collants ne couvrant pas les orteils en plein hiver ! En plus, j'ai l'impression d'être mal fagotée, mais je me console en voyant que, pour la première fois depuis mes trois mois de chasteté, la plupart de mes amis sont d'une sobriété exemplaire. Chacun semble avoir renoncé à un petit plaisir. Sauf que je suis sûrement la seule à avoir renoncé à baiser.

Dans certaines civilisations très anciennes, les périodes de chasteté étaient vécues comme une saison de transition au sens propre et au sens figuré, un prélude nécessaire au renouveau de l'énergie. En Grèce, les femmes des citoyens d'Athènes célébraient les Thesmophories, trois jours au cours desquels l'abstinence sexuelle était de mise. En l'honneur de Déméter et de Perséphone, les femmes allaient se réfugier dans les collines hors de la ville. Là, elles rejouaient le chagrin de Déméter abandonnant son rôle de déesse de la Fertilité en partant à la recherche de sa fille, prisonnière du monde souterrain d'Hadès.

Dans le monde entier, l'abstinence post-partum se pratique, chez les Indiens cheyennes en Amérique du Nord ou chez les Dani en Indonésie par exemple ; l'objectif est à la fois de contrôler les naissances et d'augmenter les chances de l'enfant qui vient de naître de survivre. Dans la province éthiopienne de Kaffa, qui a donné son nom au « café », les périodes de célibat chez les hommes sont censées augmenter les chances d'engendrer un fils. L'Église catholique recommande l'abstinence comme méthode de contraception naturelle. Dans le judaïsme, les rapports sexuels sont interdits une dizaine de jours pendant et après les règles de la femme. Misogynie répugnante, me direz-vous, sauf que le même contrat de mariage stipule qu'en dehors de ces dix jours le mari est tenu de donner du plaisir à son épouse.

Quelles qu'elles soient, ces prescriptions ont un point commun : elles tiennent compte de l'aspect cyclique d'une sexualité qui correspond mieux au désir féminin. Cet aspect est largement ignoré par la culture populaire, obnubilée par la chose sexuelle et véhiculant une image de la femme sans cesse allumeuse et réceptive – état d'excitation permanent qui serait considéré comme scandaleux si leur corps était celui d'un homme.

Alors que nous continuons à respecter certains sacrifices temporaires ou cycliques, les périodes d'abstinence n'en font pas partie, sans doute parce que nous avons l'impression qu'elles nous sont imposées. Si nous étions convaincus qu'elles sont aussi nécessaires que l'abandon de la caféine ou la consommation de carbohydrates bien choisis, nous serions à contre-courant de l'idée selon laquelle on n'a jamais assez de sexe. Ce qui est ridicule, comme si la quantité était plus importante que la qualité, à tel point que même la chasteté est associée à l'idée d'excès. Comme plusieurs personnes me l'ont fait remarquer en gloussant au cours des derniers mois : « Tout le monde va penser que c'est parce que tu as eu ta dose de cul ! »

La notion de maîtrise de soi a été balayée par la révolution sexuelle. Et la virginité est aujourd'hui une espèce de chasse gardée prônée par quelques excités évangélistes, alors qu'autrefois c'était un engagement prisé, essentiel pour protéger la communauté des divinités vengeresses (je pense aux vestales ou aux acllas, leur équivalent chez les Incas). Nous y voyons quelque chose de honteux. Cela ne signifie pas qu'elle a disparu, mais elle demeure cachée, surtout dans le contexte plus tendu du mariage. S'il est un type d'amour qui n'ose pas dire son nom au XXI^e^ siècle, c'est le mariage non consommé. Comme le disait avec sarcasme Aldou Huxley : « La chasteté, la moins naturelle des perversions sexuelles. »

J'ai une amie, Nina, qui habite près de chez moi et mène une vie qui a n'a rien à voir avec la mienne. Elle a une bonne trentaine d'années, elle est mariée et mère d'un petit garçon et, avant, elle travaillait quatorze heures par jour comme productrice d'émissions télé sur les mésaventures des people. Aujourd'hui, c'est à son petit Alfie de deux ans qu'elle consacre ces quatorze heures, entre les sorties chez les petits copains, les siestes et les cours de natation pour enfants en bas âge. De temps en temps, elle arrive à arrive à s'échapper, et nous nous retrouvons dans un café du quartier qui propose un gâteau au chocolat noir sublime et particulièrement parfumé.

Je suis donc en train de savourer mon gâteau au chocolat quand Nina m'annonce qu'elle voudrait m'organiser un rendez-vous avec un vieux copain d'enfance de son mari. Je me souviens de la première fois où une amie m'a fait le coup. « Il est médecin », m'avait dit l'amie en question, Priya. Je n'étais pas convaincue. Je voulais en savoir plus, s'il avait de beaux yeux, une belle âme… « Il n'est pas particulièrement grand, reconnut Nina, avant de m'avouer : Si j'étais célibataire, je serais contente qu'on me le présente. »

Jouer les entremetteurs est un drôle de truc : tôt ou tard, on est voué à blesser l'une ou l'autre des personnes que l'on cherche à marier. *Ah ! voilà l'image qu'elle a de moi*, se dit-on en pensant à la copine bien intentionnée au moment où débarque un type rondouillard avec un vieux pull aux coudes usés qui doit penser plus ou moins la même chose de vous. Sauf qu'il est difficile de dire non à un(e) ami(e) qui vous veut du bien. Vous avez déjà donné, vous n'avez plus la moindre envie de tenter le coup, mais, si vous refusez – ne serait-ce que d'entendre ce simple « T'inquiète pas, c'est juste pour un café ! » –, c'est fichu, vous perdez le droit à être écoutée au moment de la peau de banane suivante. Du coup, quand où on vous lance : « Qu'est-ce que tu as à perdre ? » vous faites comme si la question était rhétorique, évitant de débiter la liste de tout ce que vous avez à perdre, qui commence et finit par le respect de soi.

Ces rendez-vous valent-ils mieux que les rencontres sur Internet ? Au moins, on a quelqu'un à qui en vouloir, mais, au pire des cas, ça revient au même. Le portrait du prétendant auquel vous avez droit de vive voix équivaut à celui que vous trouverez sur match.com : profil + photo d'identité prise sous l'angle le plus flatteur, et si possible deux ou trois ans plus tôt. Pis, l'entremetteur ou l'entremetteuse auront fait la même chose avec vous dans l'autre sens. Résultat, d'un côté, on vous présente un tombeur superintelligent et trop craquant, de l'autre, vous êtes métamorphosée en amazone dotée d'un sourire irrésistible et de talents de cordon-bleu exceptionnels. Rassurez-vous, vous êtes aussi intelligente que lui, sauf que ce n'est pas ce qui a été mis en valeur chez vous, comme par hasard.

Ce genre de rencontre exclut un élément essentiel, le hasard. Cela dit, combien de rencontres sont-elles encore le fruit du hasard aujourd'hui ? Je connais un couple dont l'histoire a commencé par un long échange de regards de plus en plus appuyés qui ont fini par se transformer en paroles (la transition étant assurée par un bout de papier comme ceux qu'on se passe dans une pièce de théâtre ou à l'école), le tout dans un lieu romanesque à souhait, la New York Public Library, mais c'est un cas exceptionnel. Pour de plus en plus de gens, tout commence avec un clic – de souris, évidemment.

C'est donc presque à mon corps défendant que j'écoute Nina me décrire l'homme qu'elle a en tête pour moi. En même temps, voici ce que je me dis : question abstinence, je m'en suis déjà imposé pas mal, en revanche, j'ai négligé une chose : la poursuite de l'amour. On ne sait jamais, peut-être que celui-ci sera le bon. « Il est musicien, m'explique Nina. Il compose des mélodies et des trucs genre jingles. »

Nina, je le précise, n'est pas au courant de mon vœu de chasteté, sinon, je ne pense pas qu'elle chercherait à me présenter quelqu'un. Plusieurs fois au cours de la conversation, je suis près de lui lâcher le morceau. Je lui fais confiance, elle connaît tous les détails de ma vie amoureuse chaotique, mais l'abstinence me semble toucher à quelque chose de beaucoup plus intime.

Tout en continuant à me vendre son compositeur de jingles, elle fait semblant d'oublier un avantage pratique essentiel : le type vient d'emménager dans notre quartier. La distance est idéale : pas trop près de chez moi, comme ça, je ne risque pas de tomber sur lui à tous les coins de rues, pas trop loin non plus, comme ça, si le rendez-vous se passe mal, ma soirée n'est pas totalement foutue.

Dont acte. Je téléphone à mon cavalier et nous nous mettons d'accord pour un pub situé à mi-chemin. Ce soir-là, il fait froid, et je n'ai pas le courage de mettre une robe : je sors en jean et baskets. Mes rendez-vous antérieurs ont toujours eu lieu dans des endroits qui demandaient un minimum de talons et de rouge à lèvres. En outre, autant certains quartiers de Londres sont hantés par des traces de mes anciennes amours, autant cette partie de la ville, autrement dit, la zone située derrière mon appartement, demeure un territoire vierge. Je suis toujours sortie avec des hommes qui habitaient plutôt loin.

Me voici donc entrant dans le pub bien chaud, et tout de suite j'essaie de repérer mon rendez-vous. Il vient de m'envoyer un texto pour me dire qu'il est habillé en gris foncé et porte une écharpe vert bouteille. Ça y est, je le vois. Plutôt grand, les cheveux ondulés et les pommettes saillantes. Une chope de bière dans une main, dans l'autre, l'écharpe, qui met en valeur des petites taches dans ses yeux noisette. Je me dirige vers lui, quand soudain il me repère. Son insouciance et sa liberté sont aussitôt remplacées par un sourire que j'interprète comme un signe de soulagement – c'est réciproque.

Bizarrement, nous accrochons tout de suite. Nous parlons de tout et de rien, bouquins, écriture, infos sur le quartier, et nous évoquons nos ex comme pour prouver qu'on a beau vivre seul, on est parfaitement sociable, mais tout ça c'est de l'histoire ancienne, c'est bon, on est prêt à aller de l'avant.

J'éprouve un réel plaisir à tchatcher autour d'un verre de vin, mais je n'oublie pas que c'est un rendez-vous arrangé. Tout le monde sait qu'un rendez-vous réussi finit par un doux baiser, et, une fois sortis du pub, il m'accompagne jusqu'au bout de ma rue… Nous nous retrouvons tous les deux là, pas très à l'aise, oscillant d'un pied sur l'autre, et je n'arrête pas de regarder à droite et à gauche pour éviter de croiser son beau regard. Rien dans mon vœu ne m'interdit de l'embrasser, néanmoins, je m'aperçois qu'un simple baiser est soudain beaucoup plus lourd de sens qu'auparavant. Un baiser, c'est désormais le premier pas, risqué, vers un domaine interdit où j'hésite à m'aventurer.

Ai-je vraiment envie de l'embrasser, au fond ? Je sais que ce serait logique, vu la soirée agréable que nous venons de passer, mais voici la vérité : je ne suis pas sûre d'en avoir envie. Je n'ai rien à lui reprocher, c'est là que le bât blesse. Je pourrais faire la liste de tout ce que je trouve étonnant, touchant ou attachant chez lui, en même temps je ne peux pas. Apparemment, il pense la même chose puisqu'il ne tente rien : j'ai droit à un léger baiser sur chaque joue, sans plus. Il enfouit les mains dans ses poches, m'offre un dernier sourire et tourne les talons.

Nous avons besoin de faire plus ample connaissance. En tout cas, c'est ce que j'explique à Nina. Je lui ai dit à quel point nous nous sommes bien entendus, tous les points communs que nous avions. J'ai reconnu que, oui, il est carrément pas mal.

– Mais… ? me demande-t-elle, anticipant sur mes doutes.

– Je ne sais pas… je ne suis pas sûre d'avoir senti la petite étincelle, je réponds, même si, honnêtement, je ne sais plus très bien ce que signifie cette histoire d'étincelle.

Après tout, avec Jake, ce fut une explosion d'étincelles, et j'ai vu où ça m'a menée.

Quatre jours plus tard, nouveau rendez-vous. Nous avons franchi un pas important, on peut même dire que nous avons escaladé du verre au dîner. Réservation a été prise chez un thaï sympa et bon marché du coin. J'y vais directement du bureau et je suis dans le bus en pleine heure de pointe, mascara en main, quand il m'envoie un texto pour me proposer un autre plan. Le restaurant est vide, me dit-il. « On retourne dans notre pub ? »

O.K. pour le plan B. J'arrive dans le pub et tout de suite je le reconnais, le « Boy Next Door », mais cette fois-ci, assis dans la partie restaurant, plus chic. Lui ne m'a pas encore vue et il regarde à travers la fenêtre avec un air un peu inquiet qui durcit les traits de son visage. Ma deuxième impression est la même : je suis soulagée. Son visage a quelque chose d'anguleux et de délicat, pas vraiment féminin, mais proche d'une certaine « joliesse ». Le dîner est joyeux, nous buvons en prenant notre temps et discutons à bâtons rompus.

C'est un mardi soir, et le pub se vide brusquement, nous entraînant malgré nous vers la sortie. Comme la dernière fois, il me raccompagne chez moi, mais j'appréhende déjà l'instant des adieux gênés. J'évite de croiser son regard, je sais ce qu'il se passera si nos yeux se rencontrent réellement. Mais, si je ne l'embrasse pas, y aura-t-il un troisième rendez-vous ? Est-ce que j'y tiens, au fond ? Comme s'il avait lu dans mes pensées, il évoque une conférence de parapsychologie qui l'intéresse et me propose d'y aller avec lui. À quoi ressemble un troisième rendez-vous, normalement ? À un film ? Sa proposition est tellement insolite que j'accepte d'un hochement de tête.

Le lendemain après-midi il m'envoie un texto pour me dire qu'il n'y a plus de place mais qu'il trouvera autre chose à faire. Que répondre ? Oui ? Le fait que j'hésite montre que c'est plutôt oui. Pendant le week-end, j'ai discuté avec mon amie Becky qui m'a avoué filer le parfait amour avec un homme rencontré sur Internet. Elle en est la première surprise, a-t-elle ajouté. Le type la fait rire, et elle se sent bien avec lui. Elle n'aime pas beaucoup sa voix, mais ce n'est pas grave.

Et moi ? Est-ce que j'ai quelque chose à reprocher à mon Boy Next Door ? Sa voix ? Non. Ses dents ? Non plus. Peut-être cette espèce de manteau bizarre qui ressemble à un grand morceau de bâche mais qui vient sûrement de chez un couturier dont l'étiquette doit être savamment cachée dans un pli intérieur. Sérieusement, je suis incapable de dire ce qui me gêne chez lui, du reste, à quoi bon ? À vrai dire, ce genre de rencontre organisée incite à être extrêmement critique. J'ai l'intuition que nous ne sommes pas faits l'un pour l'autre, en même temps, j'hésite à me fier à mon intuition après le nombre d'échecs amoureux que j'ai connus. Est-ce que je réagirais différemment si je n'avais pas fait vœu de chasteté ?

Le week-end arrive, ma sœur me propose de la retrouver pour aller passer la nuit dans une boîte de je ne sais quel pays d'Europe de l'Est à l'autre bout de la ville. Sauvée ! Mais juste à ce moment-là je reçois un texto. C'est lui. Il est dans un pub, un nouveau, au coin de la rue, en train de regarder un match avec des copains. Je n'aurais pas envie de venir ?

Il y a deux catégories de filles : celles qui aiment le foot et celles qui font semblant de l'aimer pour accompagner leurs jules. Je me demande dans quelle catégorie il me range. Pour quiconque me connaît un peu, la proposition est aussi incongrue que celle d'aller dans une boîte de je ne sais quel pays d'Europe de l'Est, si ce n'est pire. En outre, n'est-ce pas un peu tôt pour m'imaginer dans le rôle de la copine sympa qui regarde le foot avec son chéri ? C'est bien gentil de vouloir me présenter ses copains, mais je me vois mal assise à côté de lui avec un paquet de chips et une chope de bière en attendant la mi-temps. Ce dont je rêve, je l'avoue en toute innocence, c'est d'être courtisée, et, ça, je pense que c'est lié à mon vœu.

Mais, bon, comme je ne suis pas vraiment séduite, je peux m'en tirer en disant que j'ai ce plan boîte de nuit à l'autre bout de la ville. Je lui envoie donc : « Tu veux venir ? – C'est un peu loin pour moi », me réplique-t-il peu après. Je suis d'accord. Moi non plus je n'ai pas envie d'y aller, mais j'aurais bien aimé que lui en ait envie. Je sais que je n'ai pas joué franc jeu, mais j'avais besoin de savoir s'il serait prêt à traverser la ville pour me voir, prêt à un troisième rendez-vous même si nous n'habitions pas à deux pas l'un de l'autre.

Dix jours plus tard. Un troisième rendez-vous a finalement été fixé. Vendredi soir, 18 h 30, l'heure fatale : les rues grouillent de gens qui sortent du bureau, prêts à abandonner leurs sarraus au vestiaire pour foncer dans un pub ou s'engouffrer dans une bouche de métro. Nous devons nous retrouver au British Museum pour profiter du nocturne du vendredi.

Dans son mail, le Boy Next Door avait suggéré le département des antiquités égyptiennes, en plaisantant sur le thème du « petit chéri de sa momie ». Je me souviens encore des sorties scolaires dont l'objectif était la découverte des momies. Autant ma sœur était fascinée, autant j'en avais horreur. Les salles dégageaient une odeur bizarre, musquée, trop lourde, et je détestais voir ces pauvres chatons momifiés en forme d'urnes. Je n'ai jamais été folle des chats, mais l'idée de la moindre créature vivante finissant embaumée pour l'éternité sous une forme aussi incongrue me semblait d'une infinie tristesse. Finalement, ni moi ni le Boy Next Door ne sachant où se trouvait le département des antiquités égyptiennes, nous avions décidé de nous retrouver dans le foyer…

Le voilà : il se penche vers moi pour m'embrasser sur la joue avec ce grand manteau gris qui bruisse comme de la toile de bâche. Sensation de froid, joues mal rasées : d'autres baisers rapides d'autres hommes me reviennent en mémoire.

Il y a tellement de monde que c'est seulement au moment où nous arrivons à entrer que je découvre le thème de l'exposition en cours : d'immenses photos qui représentent des paysages désolés, battus par les vents de sable, détrempés, ravagés par l'érosion. En les examinant de plus près, on distingue çà et là un pilier ou d'anciennes fondations. Ce sont les vues aériennes de vestiges de civilisations perdues. Cernées par une nature toute-puissante et sauvage, isolées par des marées montantes, elles semblent hurler leur extinction muette.

Je ne suis pas sûre que ce soit une très bonne idée d'aller voir une exposition avec une personne qui ne vous est pas très proche. Il est difficile de cacher des différences de sensibilité parfois abyssales, devant un nu abstrait, par exemple. Le Boy Next Door s'en sort en lançant des vannes. Je repère une fille et un garçon qui, eux, préfèrent ne pas faire le moindre commentaire. Deux autres en profitent pour se bécoter. Super, me dis-je, rien de tel que deux amoureux qui se bécotent pour ajouter au malaise. À ce moment-là, je me retourne et tombe sur la photo de gens couverts de tatouages de craie et de terre, avec des seins et des pénis étonnamment alertes après tant de temps.

Après l'expo, nous allons faire un tour du côté des momies. Est-ce à cause des photos lugubres, ou parce que je ne supporte plus le froid, en tout cas, je n'ai plus qu'une envie, ficher le camp. Le Boy Next Door est d'accord, et après une longue marche et beaucoup de courage nous dénichons un vrai pub au milieu des « tavernes » destinées aux touristes.

Un petit verre pour nous ramener à la vie après cette plongée dans des civilisations perdues, et retour chacun chez soi ? Je sens déjà la soirée trop longue qui se profile à l'horizon. Trois whiskies, et je suis à court d'anecdotes, pourtant, je suis ravie d'être assise ici à admirer son visage.

– Alors, mademoiselle Whisky, qu'est-ce qu'on fait ?

J'ai l'impression d'entendre une réplique de film ou les paroles d'une chanson qu'il aurait composée. Quant à la réplique suivante, quelqu'un la prononce sûrement au même moment dans Londres :

– J'ai une bouteille de vin chez moi, si tu veux.

Quelques instants plus tard, nous errons à la recherche d'un taxi et je me rassure : il habite à deux pas de chez moi, c'est donc comme si je rentrais à la maison. Pourtant, je ne le sens pas, un peu comme les trottoirs mouillés et l'atmosphère pluvieuse. Autour de nous, la fête du vendredi soir bat son plein.

Dans le taxi, nous n'avons plus grand-chose à nous dire. « Qu'est-ce que tu fous ? » hurle une voix dans ma tête. La voiture ralentit au pied de chez lui, nous descendons, mais c'est moi qui paie ; du coup, je suis gênée en voyant qu'il tend mon billet, ses quelques pièces à lui, mais zéro pourboire. Est-ce parce qu'il anticipe la suite et ne fait pas attention ? C'est vrai, il a payé les billets d'entrée du musée et une bonne partie du whisky, mais que je suis bête, j'arrête, pourquoi est-ce que je le surveille ? Et lui, que pense-t-il ? À un moment ou à un autre, il faudra que je lui avoue mon vœu, non ?

Nous arrivons chez le Boy Next Door. Il me prend mon manteau pour l'accrocher sur une des patères récemment installées au mur avant de m'indiquer une chaise en m'expliquant qu'il a commandé un canapé dont la livraison a été retardée. Il disparaît à la recherche de la fameuse bouteille de vin dont ni lui ni moi n'avons envie, quand soudain voici ce qui me vient à l'esprit : je ferais mieux de réduire mes ambitions question standing de logement et de remonter la barre question hommes. Ce n'est pas très gentil pour lui, alors, pour me faire pardonner, j'affiche un sourire radieux en le voyant débarquer avec deux verres de vin blanc tiède en main.

La conversation a du mal à avancer, le gouffre qui nous sépare s'agrandit. Comme s'il en avait conscience, il tend la main pour m'encourager à l'embrasser. Mon premier baiser en cinq mois… Un baiser qui m'entraîne sur une pente risquée, plus risquée que je ne le pensais, car mon dernier câlin me revient immédiatement en mémoire, des lustres plus tôt, me semble-t-il, à l'époque où toute la ville semblait attendre la pluie et où je me fondais en Jake. Ce souvenir en réveille un autre, encore plus ancien : le premier, et magique baiser de Jake. Tout cela dure un quart de seconde à peine, et la langue du Boy Next Door me ramène soudain à la réalité. Trop tard, je me suis laissé embarquer, je ne peux pas ne pas donner plus. Scrupules mal placés ? En outre, j'ai envie qu'il sache que je suis bonne. Je veux qu'il aime, je veux qu'il m'aime, mais j'ai beau avoir la langue dans sa bouche, le cœur n'y est pas, mais pas du tout. Il lâche une remarque qui rend le contraste encore plus criant. « Ton cou est fait pour être embrassé. » J'ai envie de répondre non, mon cou appartient à un autre.

Je ne dis rien, mais je m'arrange pour mettre fin au baiser et relancer la conversation. Moi qui pensais que ce genre de retour en arrière était impossible, je découvre que si. Évidemment, c'est le moment où il faudrait que je rentre chez moi, mais je suis un peu dans le coaltar, et au lieu de partir je l'écoute me parler de sa dernière chanson, entièrement consacrée à des cadavres célèbres. Au secours ! assez de morts pour la journée, vite, embrassons-nous et plongeons dans un nouveau regain d'énergie païenne. Cette fois, je me laisse complètement aller, presque assez pour ne pas voir que mes pieds quittent le sol alors qu'il me soulève en me serrant dans ses bras. Presque assez pour ne pas entendre la petite voix qui me chuchote que j'ai de la chance que la livraison de son canapé ait été retardée. Après cinq mois d'abstinence, canapé = baise.

Je ne sais pas combien de temps il a duré, mais ce fut un doux baiser. Nous nous accordons une pause, et le Boy Next Door me sourit, faussement timide sous ses longs cils, avant de m'annoncer :

– Écoute, je suis garçon d'honneur au mariage d'un copain dans quelques semaines, alors, la mauvaise nouvelle, c'est qu'il faut que je me réveille à 9 heures demain matin pour l'aider à choisir son costume.

Le charme est rompu. Le type est persuadé que je vais dormir chez lui. Je calcule, nous en sommes à notre troisième rencontre. Je souris intérieurement.

Et si je lui faisais part d'une citation de Stendhal extraite de *De l'amour*, sur laquelle je suis tombée récemment ? « Qu'une femme sage ne se donne jamais la première fois par rendez-vous. Ce doit être un bonheur imprévu. » Non, ce serait de la provocation. C'est plutôt moi qui l'ai entraîné sur la mauvaise pente.

– La vraie mauvaise nouvelle, c'est que je rentre chez moi, je réponds, alors il va falloir que tu me raccompagnes en haut de la côte.

Je n'en dis pas plus. Rien non plus sur mes sentiments mitigés à son égard, ni sur un bouton disgracieux qu'il ne semble pas avoir remarqué, ni sur l'impression d'être vaguement grippée, ni sur mes chaussettes qui laissent des marques en haut des mollets, même si j'arrivais à les faire glisser discrètement sur les talons. Surtout, pas un mot sur mon vœu qui, de toute façon, annihile tous ces petits détails techniques.

J'ai beau habiter à cinq minutes, il préfère appeler un taxi, ce qui ne m'étonne guère. Dans l'entrée, il me dépose un dernier baiser, non sans se permettre un geste encore plus présomptueux que sa certitude que je resterais dormir chez lui : une petite claque sur les fesses ! J'ai l'impression d'être dans une série télé ringarde des années soixante-dix.

La course en taxi me coûte à peine cinq livres, pourboire compris, et, au moment où j'entre chez moi, je me rappelle une histoire qu'une amie d'amie m'a racontée, une fille qui évaluait ses amants suivant le prix que la course en taxi lui coûterait si elle rentrait chez elle plutôt que de rester dormir chez l'amant en question. Si la solution était de rentrer chez elle pour trente-cinq livres, c'était clair, le type n'avait rien de spécial. S'il vivait à dix livres de chez elle mais qu'elle décidait de rester, c'était parce qu'il valait le coup, en tout cas, elle avait envie de le revoir. Le genre d'anecdote un peu sordide mais très parlante.

Et moi, qu'est-ce que je fichais chez ce type ? À quoi pensais-je ? Là-dessus, je m'endors, contente d'être seule, mais plus que jamais consciente du sens de ce mot, avec, en prime, un problème de conscience pour avoir mené ce gentil garçon en bateau.

Le lendemain matin, c'est un visage fuyant, encore un peu rouge à cause des joues mal rasées de mon dernier prétendant, qui me regarde dans le miroir de la salle de bains. Une série de brefs flashbacks me reviennent en mémoire, et la même question revient : à quoi donc pensais-je ? Car j'étais bien en train de penser, quand même ! Non seulement je savais où la soirée me mènerait, mais je savais aussi qu'aller jusqu'au bout impliquait de rompre mon vœu. Et mon vœu, justement ? Pourquoi ne lui ai-je pas avoué la vérité après avoir interrompu notre premier baiser ? Sous la lumière pâle de ce matin d'hiver, clignant des yeux devant le miroir entre des éclats de dentifrice, je suis en train de comprendre que, dans certaines circonstances, ne pas faire l'amour est beaucoup plus important que le faire. Certes, j'aurais dû avoir le courage d'expliquer la situation à ce garçon – persuadé que je coucherais avec lui –, mais je ne le connaissais pas assez, nos liens n'étaient pas assez forts pour que je prenne le risque de lui offrir un aperçu de ma vraie personnalité. Si je n'avais pas été liée par mon vœu, je lui aurais montré tout ce qu'il voulait. Tout ça parce qu'il aurait été question de désir, mais aussi par politesse, en vertu d'un code tacite, un besoin urgent de plaire – un tas de raisons complètement déplacées.

Ou peut-être que je n'en aurais rien fait. Peut-être que je n'aurais pas accepté un deuxième rendez-vous, ni un troisième si je n'avais pas fait ce vœu. De même que l'habit d'une religieuse est une garantie d'anonymat, de même mon engagement à la chasteté commence à ressembler à une sorte de cape invisible. Comme si j'avais senti que sa protection était suffisante pour que je m'autorise à vouloir connaître ce Boy Next Door. Ce que je n'avais pas vu jusqu'ici, c'est que ma chasteté était invisible. Rien dans mon comportement ne permettait à ce garçon de deviner cela, excepté mon soudain départ.

Quelques jours plus tard, j'en parle chez mon amie Priya au cours de son dîner d'anniversaire.

– C'est pas le bon, si je comprends bien ? conclut Neil en souriant, avant de poser la question qui fait mal, qu'il n'a jamais posée jusqu'ici :

– Alors, si c'est pas lui, c'est qui, l'homme dont tu rêves ?

Voyant que la réponse tarde, il formule les choses autrement.

– O.K., si c'était un livre, ce serait quel genre ?

Un livre de poésie, pensé-je. Facile à comprendre, en apparence, mais assez dense pour demander une seconde lecture. Et Neil ? Lui, il recherche un thriller, répond-il en souriant à Ben, son compagnon, assis en face de lui. Tous deux forment un couple solide, mais ce n'est pas seulement pour ça qu'à mon tour je souris. Le fait est que l'image de Neil me rappelle ma grand-tante, qui parle des hommes comme si c'étaient des livres. « Tu n'as qu'à le rapporter à la bibliothèque », me dit-elle pour signifier sa désapprobation à propos de l'un ou l'autre. Amusante, l'idée de fureter entre les rayons, et emprunter appartient sans doute à une autre époque. Aujourd'hui, si vous renouvelez l'emprunt, on en conclut que c'est parce que vous voulez lire le bouquin jusqu'au bout.

Il aura fallu que je reçoive un mail du Boy Next Door pour que je comprenne que je l'avais plus ou moins oublié. Trop mignon, il m'invite à dîner chez lui. Ça lui ferait plaisir de me préparer un bon petit plat. Si j'accepte, ce sera donc notre quatrième rendez-vous, qui commencera chez lui, peu importe où il finira. Le canapé n'aura sûrement pas été encore livré, mais, quand j'étais chez lui, j'ai aperçu un lit qui m'avait l'air parfait. Le pire, c'est qu'il se montre plein d'attention, tout ce que je voulais quand j'ai décidé d'inaugurer une année de chasteté. Confortée par mon vœu, ma pusillanimité a donné de moi l'image d'une fille joueuse et difficile à avoir. Moi qui ai toujours méprisé ces petits jeux, je suis bien obligée de reconnaître qu'ils sont efficaces. Ce qui soulève une vraie question : cette invitation aurait-elle eu lieu si j'avais couché avec lui ?

# 8

# Février ou Pas de deux sur une piste de danse

> « Le fait est qu'il est très difficile de distinguer l'amour de la passion. Le conseil que je donnerais à quiconque n'est pas certain de savoir faire la différence est soit d'abandonner les deux, soit d'arrêter de couper les cheveux en quatre. »
>
> James Thurber et E. B. White,
> *Le Sexe, pour quoi faire ?*

Interrogez n'importe quelle jeune mère au sujet de la Saint-Valentin, elle vous répondra que la date est le 14 février. En revanche, la Saint-Valentin commence beaucoup plus tôt pour la plupart des âmes solitaires. Mon amie Lucy, par exemple, a prévu un tourbillon de sorties depuis déjà deux semaines : un verre avec des copains célibataires, un vrai cocktail, un dîner assis… et ainsi de suite. Car la question revient chaque année : vaut-il mieux rester seul en attendant que ça passe ou être avec des gens et prendre le risque que ça tourne au drame ? Les personnes qui souffrent de solitude préfèrent la compagnie, bien sûr, cela dit, mon amie Lucy s'y est prise tellement tôt qu'elle est a des chances de se retrouver seule le soir du 14 février, calée chez elle devant un film bien sirupeux et maso, genre *Quand Harry rencontre Sally*.

Personnellement, j'ai tendance à faire l'impasse, et face à l'inflation d'étals de fleuristes ou de ballons en forme de cœur envahissant les vitrines des restaurants je détourne systématiquement le regard. En réalité, je me demande si ce n'est pas nous, qui n'en attendons rien, qui en faisons tout un plat. Sans les Lucy et les filles comme moi qui font le compte à rebours dans l'angoisse, la grogne ou, au contraire, pleines d'espoir, la Saint-Valentin ne représenterait pas grand-chose, franchement. Nous projetons un telle image de nous-mêmes que je comprends que quiconque ayant un(e) chéri(e) ressente un soudain élan amoureux et n'hésite pas à claquer du fric.

Mais, cette année, c'est différent. J'ai décidé de faire un effort et d'accompagner ma sœur à une soirée de célibataires organisée par une amie d'amie. La fête a lieu le 10 février et sent le désespoir pré-Saint-Valentin à plein nez. Code couleurs de la soirée : rouge et noir, autrement dit, rouge pour les optimistes et noir pour les cyniques. Quant à moi, j'ai une petite robe noire (avec des collants épais), un gilet noir, et un cafard noir atroce. Détail symbolique, et concession aux plus optimistes : je me suis peint les ongles avec du vernis rouge et je porte des talons rouges mortels avec lesquels je compte bien écraser les pieds du premier prétendant qui se ferait des idées. Ah oui, autre détail : je porte la bague de New York, histoire de me rappeler que je ne suis pas totalement cynique, pas encore, sauf le jour de la Saint-Valentin. Maintenant, inversez les couleurs et vous aurez une idée de la façon dont ma sœur, qui y croit à fond, est habillée. Nous sommes les deux revers de la même médaille.

Le bus arrive, et tout de suite je me sens mieux. J'avais oublié à quel point cette l'excitation de la fête était contagieuse, l'idée de rejoindre les cohortes du samedi soir, pleines d'espoir, et de sortir – sortir dans la nuit au ciel de velours, la nuit étoilée au bout de laquelle la magie qui nous attend (on peut rêver !). Tout le monde est sur son trente et un ; le bus sent le parfum, l'après-rasage et la laque. Des bandes de filles trottinent allègrement bras dessus, bras dessous dans la rue ; les garçons sont impeccables, la chemise parfaitement repassée portée au-dessus du pantalon et les cheveux luisant de gel.

Nous arrivons devant la boîte. Le videur vérifie nos papiers, et nous traversons un long couloir à la lumière tamisée qui mène à une grande salle. Des boxes sont alignés le long du mur et au fond de la pièce un bar rutilant nous tend les bras. Une poignée d'hommes, et une femme, sont là, agglutinés avec un verre à la main, parlant tellement bas qu'on n'entend rien malgré la musique sourde qui semble se figer dans l'obscurité. Il n'y a personne d'autre.

Nous sommes là, perchées sur les tabourets du bar et sirotant un cocktail baptisé *u-pimp* (« u-maquereau ») tout en discutant avec la seule fille présente, apparemment une chasseuse de têtes pleine d'entrain, et peu à peu la salle se remplit. Surtout des gens de la City, pas mal de types d'une bonne trentaine d'années, ou la quarantaine, et des filles un peu plus jeunes. De toute évidence, ce sont des célibataires – sinon, pourquoi s'imposer un pensum pareil ? –, pourtant, ils ont le regard plus rond des gens mariés. La plupart des hommes portent le genre de jeans qu'on achète quand on est en costume toute la semaine ; les filles, plutôt des imprimés fleuris en mousseline de soie, des robes jolies et élégantes, sans doute prévues à l'origine pour un mariage.

Au début, j'ai l'impression d'être en boîte avec mes copains de lycée, quand on avait onze, douze ans, genre les garçons dans un coin, les filles dans l'autre. La chasseuse de têtes ne parle que boulot. Apprenant ce que nous faisons, ma sœur et moi, elle déclare aussitôt qu'on aura un succès fou si on dit qu'on est intellos ou artistes. « Les banquiers adorent les filles qui bossent dans l'art », insiste-t-elle. Quant à elle, elle prétend que les hommes ne lui font du gringue que parce qu'ils espèrent qu'elle leur trouvera un nouveau job gratos. J'ai fini mon verre et j'essaie de pêcher une mûre gorgée de vodka collée au fond avant qu'on me l'enlève et je pense à un truc : si ce qu'elle dit est vrai, ces hommes ne font jamais que ce que les femmes, dépourvues de pouvoir (mais pas d'astuce), ont fait pendant des siècles : coucher pour réussir.

D'un côté, les programmes télé et les rayons adultes des librairies témoignent de notre fascination pour le cul qui s'affiche en vente, d'un autre, le commerce sexuel plus banal – sans doute plus vieux que le plus vieux métier du monde – semble désormais nous choquer. Promettre de faire l'amour en échange de tondre la pelouse ou de surveiller les enfants le samedi matin, on trouve ça un peu nul, non ? Mais coucher pour obtenir ce qu'on veut est considéré comme une preuve de courage. Et ne pas coucher pour les mêmes raisons vous fait passer pour un manipulateur. Nous trouvons normal, et nous en redemandons, de tout lire sur les implants mammaires de je ne sais trop quelle starlette – des filles qui ont zéro intérêt et zéro ambition pour quoi que ce soit si ce n'est leur capital sexuel, autrement dit, leur corps entièrement refait et siliconé –, et nous traquons l'ascension de ces pauvres filles dans les pages de la presse de caniveau à mesure qu'elles avancent, abandonnant une star de reality-show pour passer à un « fils de » pourri gâté, avant de finir avec un joueur de foot de Premier League. Mais l'idée qu'une femme déploie un peu d'astuce et de méthode, et exploite sa vertu pour un truc aussi banal qu'une alliance, alors là, quelle horreur !

Et si nous revenions un peu en arrière, en 1740, l'année où parut l'un des premiers romans de l'histoire de la littérature anglaise, *Pamela ou la Vertu récompensée*, de Samuel Richardson ? C'est un long roman épistolaire fondé sur une histoire vraie que l'auteur disait avoir entendue de la bouche d'un gentleman de sa connaissance. Le livre raconte les aventures de l'héroïne éponyme, une petite servante de quinze ans qui a le malheur d'attirer le regard du fils de son maître, un jeune châtelain appelé M. B. Pamela résiste à ses avances, échappant ainsi au sort de la plupart des petites bonnes de l'époque – grossesse, renvoi, vie fichue, voire mort – grâce à sa détermination et à sa débrouillardise. Ne sachant plus que faire pour l'avoir dans son lit, M. B. finit par lui demander sa main et elle accepte de l'épouser, devenant finalement la coqueluche de tous les aristos du coin.

« Un homme est incapable d'imaginer qu'une femme préfère s'amuser plutôt que de sauvegarder sa réputation », écrivait en 1903 Helen Rowland dans ses mémoires, *Reflections of a Bachelor Girl* (« Réflexions d'une jeune femme célibataire »). Vivrait-elle aujourd'hui, elle serait effarée de voir que l'idée même de réputation est tombée aux oubliettes. Ou peut-être que non ; peut-être qu'elle considérerait que c'est un joug dont nous avons bien fait de nous débarrasser.

Le problème, c'est que nous l'avons remplacé par un autre. Désormais, on demande à la « jeune femme célibataire » d'avoir envie de baiser en permanence et, pour ce faire, d'investir du temps, de l'argent et des ressources fort précieuses, comme la patience et l'optimisme. Mais quid de ceux dont ce n'est pas le truc ? Et d'autres qui adorent faire l'amour, au contraire, à tel point qu'ils préfèrent que cela reste un domaine protégé ?

Comment redorer le blason d'une valeur qui ne correspond plus à la doxa ? Telle est la question à laquelle tâchent de répondre certains mouvements de jeunesse chrétiens depuis quelques années. Aux États-Unis, par exemple, il existe des soirées dansantes baptisées *Purity balls* (« Bals de la pureté ») au cours desquelles les jeunes filles s'engagent devant leur père, et sous leur protection, à demeurer vierges jusqu'à leur mariage ; ou encore des associations telles que *True Love Waits* (« L'amour vrai attend »), dont les jeunes membres portent une bague qui symbolise le même type d'engagement. Ces mouvements sont largement critiquables, d'abord parce qu'ils encouragent les jeunes filles à abandonner la maîtrise de leur propre sexualité ; en outre, les statistiques prouvent que la plupart de ces jeunes gens ne tiennent pas leur promesse, et, quand ils « craquent », ils prennent en général moins de précautions.

Quoi qu'il en soit, les militants de ce type évoquent souvent la virginité comme un cadeau impossible à réemballer. Une fois ouvert, vous avez beau refaire le paquet, le papier est froissé. Le principal défaut de cette métaphore, c'est qu'elle met l'accent sur le papier. Si le donateur est tellement attaché au papier, c'est sans doute qu'il ne vous apprécie pas tant que ça. Cependant, la fixation sur la virginité n'est pas non plus bon signe. Après tout, la virginité est un état qui ne tient que par défaut. Une fois offerte au mari avec un beau ruban rouge, ou au contraire gâchée et balancée au don Juan du lycée vite fait, bien fait derrière le garage à vélos, c'est foutu. Vivre une vie de chasteté est un engagement qui demande beaucoup plus de ténacité.

Le fait est qu'aujourd'hui le marché de la virginité a disparu. Comme le disait avec humour Mae West : « Ne laissez jamais un homme réfléchir trop longtemps ; il est sûr de trouver la réponse ailleurs. » Nous vivons dans un monde où le sexe est survendu mais très peu valorisé. Il est considéré comme un bien de consommation, un problème d'offre et de demande tel que pourraient vous l'expliquer les jeunes loups de la finance qui tournent autour de notre chasseuse de têtes. Dévaluez le mot « non », et le marché est inondé, tandis qu'automatiquement le « oui » perd du prix. Une partie de la fascination que suscite l'image de la pute est sans doute liée au fait qu'elle n'hésite pas à donner un prix au cul. Après tout, il est facile de trouver la pute qui se cache en chacune de nous : il suffit de feuilleter les pages glacées des magazines. La pute professionnelle a au moins le courage d'afficher un prix, même si c'est pour brader la marchandise.

Je suis toujours au bar avec ma sœur et notre copine chasseuse de têtes. Les serveurs accélèrent la cadence, les verres vides disparaissent pour être remplacés par un deuxième ou un troisième, et peu à peu la division hommes/femmes se dilue.

La majorité des gens qui sont là se connaissent par le boulot, c'est évident. Alors, s'ils se voient tous les jours mais n'ont jamais pris un verre ni cassé la croûte ensemble, qu'est-ce qui les motive ?

– Peut-être ont-ils besoin d'un brise-glace, me suggère ma sœur en secouant son verre. Un changement de décor.

Je jette un œil sur la déco de la boîte : garçonnière un peu rétro, tendance *American Gigolo*. Pas très bon signe pour la longévité d'une éventuelle rencontre.

Entre-temps, une bonne couche de vernis social a disparu, des pages de préambule ont été déchirées. Un type s'avance vers moi et me demande tout de go :

– Quel genre de mec tu cherches ?

– Oh, tu sais bien, normal, je réponds. Malin, drôle, beau gosse.

Et j'éclate de rire car c'est un peu ambitieux pour ce soir.

Ça fait longtemps que je ne suis pas allée dans ce genre de fête, et sans doute mon vœu me rend-il particulièrement sensible. Mais pourquoi est-ce que je m'impose ça ? Les autres peuvent au moins espérer une bonne petite baise, maigre consolation, mais quand même. Je suis ici depuis moins d'une heure, mais je n'ai plus qu'une envie, partir. Je suis sûre que ma sœur s'ennuie autant que moi, mais c'est le genre de fille qui a toujours un verre plus ou moins rempli, même si c'est avec un cocktail au nom putassier, synonyme de désespoir et d'opportunisme.

– Donne-moi encore vingt minutes, me répond-elle.

– Dix, je réplique en calculant que c'est au moins le temps qu'il nous faudra pour traverser la boîte pleine à craquer.

Nous commençons à nous diriger vers la sortie quand nous nous retrouvons coincées à côté de trois types habillés en noir qui font encore moins d'efforts que nous pour parler aux autres. Plus tard, l'un d'eux, Raj, qui travaille dans l'immobilier mais dont le rêve est de percer dans la musique indienne, nous avouera que c'est parce qu'on faisait un peu la tronche que nous avons attiré leur attention. Les deux copains de Raj sont Rafiq, qui s'apprête à lancer une galerie d'art sur Internet, et Jean-Christophe, belge, et complètement décalé vu qu'il vient de débarquer de l'autre bout du monde, d'une ville dont je n'ai pas réussi à saisir le nom. Nous n'avons pas le temps de dire ouf qu'une bouteille de champagne rosé apparaît.

Évidemment, nous ne pouvons plus partir, et peu à peu notre petite bande de cinq se déplace vers la piste de danse. La musique est passée à un rythme nettement plus violent, et les paroles sont à l'avenant. « J'ai envie de te baiser », fredonne une voix androgyne tandis que la lumière baisse, plongeant bientôt la boîte dans une obscurité presque totale. Autour de nous, des célibataires aux accoutrements grotesques se trémoussent en imitant le style MTV, à la fois débile et torride.

Pour autant, il est difficile de faire tapisserie. À peine assise, ma sœur est abordée par un gros mec affublé d'une chemise écarlate. La conversation tourne vite court, sans doute parce qu'elle ne montre pas le moindre signe d'intérêt, tout en restant polie, mais surtout parce que notre charmant rouge-gorge est planté juste au-dessous d'un baffle. Il se redresse et soudain je vois qu'il a des boules Quiès. C'est clair, le type n'est pas venu pour discuter.

« Tout le monde est venu chercher l'amour », commente Rafiq. Je ne sais pas s'il se veut ironique, mais sa remarque trahit une certaine mélancolie, et quelque chose de très vrai. Honnêtement, vous iriez chercher l'amour dans un endroit où la musique est tellement forte qu'on ne s'entend pas et l'obscurité telle qu'on ne se voit pas ? La soirée a peut-être été conçue comme une répétition générale de la grande fête de l'amour, la Saint-Valentin, la seule chose qui est offerte, ici, c'est le sexe. Il est partout : dans la musique, dans les noms des cocktails servis, incarné par les ravissantes serveuses graciles et blondes de vingt ans maximum qui semblent là pour que nous, les femmes, nous nous sentions bien moches et fripées. Toutes portent des leggings et des jupes tellement courtes qu'elles seraient plus habillées si elles étaient nues et virevoltent avec souplesse entre les gestionnaires de fonds tout émoustillés, perchées sur des talons compensés de huit centimètres avec, à bout de bras, un plateau rempli de verres.

Il était une fois, il n'y a pas si longtemps, on se rencontrait dans le monde des femmes. Les hommes passaient leur rendre visite selon un code de conduite très strict, on commençait à sortir et à s'afficher, et si l'on s'achetait un cornet de glace c'est l'homme qui réglait la note. L'apparition de la voiture a changé la donne, car elle offrait un espace privé et une banquette arrière sur laquelle la jeune fille pouvait déployer ses charmes. Certes, le petit coup sur la banquette était souvent suivi d'un mariage (ou, ne l'oublions pas, d'un avortement clandestin cauchemardesque), mais, aujourd'hui, une jeune fille peut s'estimer heureuse si après une nuit passée à « fourrager », comme le dit avec délice un de mes amis, elle a droit à un numéro de téléphone ou à une tasse de thé le lendemain matin. Disparu, l'art de faire la cour ! Et remplacé par ces jeux d'accouplements purs et durs baptisés *mating games* et l'épouvantable terminologie gorgée de testostérone qui va avec.

Bon, j'arrête, et pour prouver que l'abstinence n'a pas fait de moi une vierge effarouchée, montrer que je suis solidaire de tous ces cœurs à prendre, je me lève pour aller danser. À ce moment-là, Rafiq s'approche de moi avant de se lancer dans un limbo torride qui commence par une bascule en arrière suivie par un relevé synchrone, comme si nous passions sous une barre invisible. Ressent-il ce que je ressens ? Que nous nous livrons à des mouvements si parfaitement huilés et accordés que nous en avons oublié le sens ? Je sais, mon vœu me rend particulièrement sensible au sens caché des choses, surtout quand il n'est pas tout à fait innocent.

En 1893, alors qu'il se récriait contre la valse dans un de ses manuels d'hygiène destiné aux femmes, John Harvey Kellog, le fameux père des corn flakes dont j'ai déjà parlé, citait le professeur Welch, professeur de danse à Philadelphie : « Aujourd'hui, les danseurs s'autorisent un contact physique trop proche. Autrefois, un homme bien élevé effleurait à peine la taille de sa cavalière tout en tenant la main droite de celle-ci dans sa main gauche. À présent, il l'enlace avec son bras, l'attire contre lui comme s'il avait peur de la perdre, et approche son visage si près qu'il effleure sa douce joue et, en bref, l'embrasse. » Kellog, qui considérait que Welch était un peu trop indulgent, faisait également remarquer que le chef de la police de New York signalait la danse comme une des causes de perdition des trois quarts des « pauvres filles » de la ville.

Mais, puisque je suis là et qu'il n'y a rien de tel que l'idée de transgression pour pimenter les choses, autant me lâcher et m'amuser. Le fait est que je m'amuse ! C'était quand, la dernière fois que j'ai dansé ? J'ai un verre de champagne en main quand soudain… Boum ! Une explosion retentit au-dessus de la musique et la piste se retrouve jonchée de bris de verre. Est-ce ma main qui a heurté un plateau ? J'aperçois une serveuse qui disparaît tel un lapin derrière un froufrou de jupe au ras des fesses. Bientôt, les danseurs remontent en piste ; heureusement, entre-temps, Rafiq a eu la gentillesse de débarrasser les éclats de verre en les poussant à coups de pied sous une banquette. J'y vois le premier signe de la soirée qu'il existe encore un peu de délicatesse dans ce monde, un peu de galanterie, disons-le. Du reste, qui suis-je pour mépriser la galanterie ? Si un coup tiré est le lot de consolation que chacun est venu chercher ici ce soir, le mien sera la galanterie, j'ose l'affirmer.

Peu après, ma sœur et moi quittons la piste, escortées par nos cavaliers au champagne rosé. Je croise le regard de la chasseuse de têtes qui me sourit en signe d'approbation, genre « j' te l'avais bien dit ».

L'ami belge nous a quittés et nous nous retrouvons à quatre à la recherche d'un dernier verre, comme si nous avions survécu à une épreuve et n'étions pas encore prêts à nous séparer. La discussion se poursuit et nous nous échangeons des petites histoires d'ex, de *speed dating* et de rencontres sur Internet. Rafiq nous apprend qu'une agence new-yorkaise vient d'ouvrir un bureau à Londres, où les hommes ne peuvent s'inscrire que s'ils gagnent plus de X – X extralarge – par an. Il ne sait pas exactement ce qu'on demande aux femmes, mais tout le monde est d'accord pour dire qu'il s'agit sans doute de photos plutôt que de comptes en banque.

Il est minuit bien sonné quand enfin nous sortons sous une fine bruine. Deux bandes rivales de noceurs débraillés se jettent sur le premier taxi libre qui débarque. À ce moment-là, surprise inespérée, Raj nous annonce qu'il a un chauffeur. Je ne le crois pas, mais c'est parce que je vis dans un milieu d'artistes et d'intellos qui galèrent, me dis-je. Je parie que le moindre nabab de l'immobilier a un chauffeur particulier. Nous nous réfugions sous un pas de porte pendant qu'il appelle, et quelques instants plus tard apparaît un taxi.

Si une citrouille se transforme en carrosse, pourquoi ne pas imaginer que ce *minicab* est une limousine avec chauffeur et que le rassemblement d'âmes en peine que nous venons de quitter était un bal inoubliable, une soirée enjouée, arrosée au champagne rosé, dont nous rentrons escortées par deux princes charmants ? Et si c'était ça le hic, dans les relations amoureuses ? Tout se passe dans la tête, non ? Et tout dépend de ce que vous décidez d'en faire le lendemain matin. En tout cas, se réveiller seule permet d'avoir un champ beaucoup plus vaste à partir duquel vous pouvez décider de vous raconter telle ou telle histoire. Sans compter que la présence du « chauffeur » de Raj m'a permis de ne pas avoir à leur proposer de monter prendre un café.

Le 14 février arrive, et je porte toujours ce vernis à ongles rouge-comme-l'amour qui me fait de l'œil partout où je vais. À la bibliothèque où je travaille, il laisse quelques écailles écarlates entre les pages des livres. D'habitude, le silence de la salle de lecture est chargé de regards échangés et de fantasmes, mais aujourd'hui elle semble être le refuge des cœurs solitaires qui remplissent chaque travée, la tête penchée, et l'esprit aux prises avec l'auteur qui se met à nu sous leurs yeux. Est-ce là toute l'intimité dont chacun bénéficiera en ce jour ?

J'attends que l'heure de pointe passe pour quitter la bibliothèque. Dehors, il fait froid et humide. Dans la cour, je croise un ami qui entre en courant, cachant difficilement l'excitation dans ses yeux. Il a sûrement un rendez-vous à l'intérieur, en tout cas, je l'espère pour lui. Au supermarché, je tombe sur une foule d'hommes pressés qui se précipitent sur les derniers bouquets de fleurs mal assorties. J'arrive chez moi : pas de fleurs, pas de cartes. Je n'attendais rien, certes. Après tout, j'ai congédié mon unique prétendant, le Boy Next

Door, il y a quelques semaines, refusant le dîner en tête à tête par un mot poli mais lâche : « Trop de boulot, suis en ce moment dans un drôle d'endroit, ton invitation est adorable mais… » Le truc classique. La seule chose que j'ai, c'est un mail de la part d'un ami qui m'a transféré une invitation pour une soirée à thème, « Beauté de la décadence », avec la musique la plus triste du monde, du fado. Je suis vaguement tentée… Une onde de cette excitation qui électrisait ma vie quand j'avais vingt ans et des poussières me traverse, le sentiment que je pourrais rater quelque chose…

Au lieu de quoi, je me mets au lit avec une pile de bouquins. Quand je me réveille, nous sommes le 15 février. Mais il est 2 heures du matin, dehors, les lumières brillent, et j'ai la joue écrasée sur la page d'un livre. Je pourrais adopter un régime à base de romans, ce serait peut être salutaire… Je n'ai pas le temps de réfléchir plus longtemps, tout à coup, message sur mon Blackberry. De la part de Bel Ami. Et de New York, autrement dit, pour lui il est 20 heures, le 14 février, il est donc en droit de me souhaiter une joyeuse Saint- Valentin. Le tout suivi par notre petite blague préférée à propos du lieu où nous irions si nous devions nous enfuir ensemble, le Sénégal, par exemple, plutôt que l'Islande. Humour absurde, mais qui montre à quel point nous sommes proches.

Au fond, je me rends compte que la véritable intimité ne demande pas de proximité physique, de même que la proximité physique ne garantit pas l'intimité. Le message de Bel Ami est surtout un rappel de la magie de cette journée. Quelque part, à quelque moment que ce soit, c'est toujours la Saint-Valentin.

Comment s'habiller pour un rendez-vous professionnel avec un homme que vous avez rencontré au cours d'une soirée de célibataires ? À un moment, au cours de cette fête en rouge et noir, j'avais discuté boulot avec Rafiq : le sien, le mien, pourquoi ne pas essayer de goupiller un truc intéressant ensemble, etc. Dans cet esprit, j'ai donc reçu un mail de sa part le lendemain, parfaitement rédigé, dans lequel il se débrouillait pour me rappeler notre engagement tout en évitant de dire qu'il s'agissait de travail.

À l'origine, Rafiq m'avait proposé un dîner, et, en obtenant que ce soit un déjeuner, je pensais avoir été assez claire, sauf que nous nous retrouvons dans un bar sans fenêtres, tellement sombre qu'on dirait qu'il est minuit. C'est un bar d'hôtel, et le personnel est d'une amabilité extrême, comme si nous avions réservé une chambre pour l'après-midi, alors que nous sommes juste là pour un verre avant d'aller déjeuner.

Peu après nous y sommes, dans un restaurant éclairé par la lumière du jour, mais je me sens mal à l'aise.

– Je ne voulais pas que ce soit une interview, mais pas non plus un rendez-vous galant. Je me disais que ce serait sympa de faire connaissance tout en parlant un peu boulot, comme ça, m'explique Rafiq une fois que le serveur nous a énuméré les plats du jour.

Il glousse légèrement, comme s'il toussait, et je me demande si ce n'est pas un coup monté. La suite est à peu près aussi claire que le ciel à l'extérieur, d'où tombe à présent une bruine tenace, cela dit, le fait d'avoir repéré le sous-texte me permet d'être plus à l'aise. La touche de confiance qui me manquait était-elle d'ordre sexuel ?

La conversation se poursuit agréablement jusqu'à la fin du déjeuner. À un moment donné, nous sommes face à face, échangeant de grands sourires, sans raison, et croisant nos regards avec un peu trop d'insistance. *Heureusement que ce n'est pas un dîner*, me dis-je, en voyant Rafiq poser sa carte de crédit sur la note délicatement pliée en deux. Il me raccompagne à la maison dans une voiture de sport tape-à-l'œil, et nous traversons un parc, puis un second, immense, dans lequel nous nous perdons… Je rêve de l'instant où je pourrai lui dire au revoir et me rejouer tranquillement cet étrange déjeuner.

Sauf que je vous cache quelque chose. En allant retrouver Rafiq, j'ai envoyé un texto à Jake… Première prise de contact depuis cette fameuse journée d'août, le jour de son anniversaire, il y a plus de six mois. Le prétexte en est ma sœur qui l'invite à une projection le lendemain. Au moment où la petite enveloppe a disparu de l'écran de mon portable, j'avoue que je me suis demandé si je n'étais pas dingue, mais l'urgence était trop forte. À quoi est-ce que je jouais ? pensez-vous. Disons qu'avant d'appuyer sur la touche « envoyer » j'essayais de me prouver que j'étais libérée de lui. J'avais besoin de nous voir tels que nous étions et non pas tels que je voulais que nous soyons, et je me sentais prête. Mais cette impression d'urgence que j'ai ressentie m'inquiète. Surtout au moment où je reçois sa réponse : « Oui, je suis libre ».

J'en profite pour inviter aussi Rafiq à la projection. Finalement, il ne pourra pas et m'enverra un texto pour me dire qu'il est obligé d'accompagner son neveu quelque part – prétexte imparable. En attendant, même *in absentia*, Rafiq m'aura permis de ne pas penser exclusivement à Jake. D'ailleurs, c'est plutôt en songeant à lui que je me sens un peu anxieuse le jour de la projection, à tel point qu'au moment où Jake débarque je me retrouve dans ses bras avant même de réaliser que c'est lui. Peu à peu mon cerveau enregistre sa présence, mais trop tard – le reste de mon corps, lui, sait. Magnétisme intact. Après des mois d'abstinence, le choc de ce contact peau contre peau m'ébranle profondément. Kellog avait raison : s'embrasser peut être le début de la fin pour une jeune fille.

La salle de cinéma est petite ; la plupart des places sont prises. Il reste le premier rang, vide, sauf le siège où est assis Jake, à l'extrémité. Voyant que ma sœur attend que je m'installe pour faire signe au projectionniste de commencer, je me glisse au premier rang. Les lumières s'éteignent, et pendant plus de quarante minutes, malgré la bande-son expérimentale et le montage staccato, je n'ai conscience que de lui, assis à six sièges de moi. Six carrés de velours vides, à l'image des six mois que je viens d'essayer de placer entre nous.

Après les applaudissements et les questions, la foule se presse vers la sortie et nous nous retrouvons côte à côte sur le trottoir. Jake la joue total mec : malin, convaincant. Je me dis que c'est l'occasion de me prouver que je suis détachée de lui, je bavarde volontiers – tout sauf le silence –, mais sans lui poser aucune des questions qui me tourmentaient quand nous étions ensemble. Par exemple, sans lui demander s'il a rompu avec sa petite amie. Jusqu'au moment où il avoue que mon invitation lui a fait très plaisir, après tant de temps, en faisant une pause pour souligner son propos – enfin, je me tais pour l'écouter. Serait-ce de la souffrance que je perçois dans sa voix ?

La foule s'est écoulée, et nous dérivons vers l'agitation du samedi soir quand il propose que nous dînions ensemble un jour prochain. « Ou déjeuner ? » ajoute-t-il. Et de nouveau me voilà obligée de choisir. Il sourit comme si de rien n'était, mais dans ses yeux je lis de l'espoir et me force à détourner les yeux.

– Déjeuner, je réponds, vite, avant de pouvoir changer d'avis.

Tout de suite, il commence à tergiverser, évoquant le week-end suivant, sauf que non, il doit d'abord passer deux ou trois coups de fil – de la famille qui doit venir de province, du boulot.

Pourquoi n'ai-je pas répondu ni dîner ni déjeuner, mais juste un café ? Ou rien ? Son invitation était pourtant une façon de reconnaître toutes les questions et les réponses non formulées qui pèsent entre nous. L'occasion de boucler la boucle ?

Son parfum me poursuit tout l'après-midi, fruité, envoûtant, mais en même temps plus basique que ces termes ne le suggèrent. Il m'oblige à revenir en arrière pour analyser chacun de ses mots, chacun de ses gestes, me demander si quelque chose a changé. Oui, me dis-je, quelque chose a changé, moi, j'ai changé. En même temps je ne peux m'empêcher de penser que mon vœu a enfin été confronté à un vrai défi.

# 9

# Mars ou Se pâmer pour conquérir

> « Chaque baiser, telle une gorgée de vin, ajoutait à la chaleur de son corps.
>
> Chaque baiser augmentait le feu de ses lèvres. Mais il ne fit pas un geste pour soulever sa jupe ni la déshabiller. »
>
> Anaïs Nin, *Hilda et Rango*

J'ai attendu que Jake annule. J'ai essayé de dédramatiser. « On repousse à plus tard ? » lui ai-je proposé dans un texto. Mais le jour du déjeuner arrive, sans annulation ni confirmation. Agacée, trop consciente de l'emprise qu'il a sur moi, j'enfile sans enthousiasme un jean, des santiags et un cardigan dont le style a quelque chose de militaire, en tout cas, rien de doux. Un lointain mal de tête me guette, c'est pourquoi je choisis le parfum le moins fort, mais c'est le parfum que j'associe toujours à lui. Il est presque midi quand mon portable bipe : il est en retard, mais il a réservé.

Réservé…

Mon déjeuner, soi-disant léger, est plombé. Et si j'allais droit au casse-pipe ? Je jette un œil dehors, guettant un signe des dieux, un indice pour savoir si j'ai besoin d'un pépin, mais le temps m'a l'air capricieux, les premiers bourgeons tremblent sous un ciel bleu moucheté de nuages.

Le restaurant est le genre de lieu où vous casquez pour être assis le plus loin possible de tout le monde, y compris de la personne qui vous accompagne, avec des nappes empesées. Arrivée la première, je me plonge dans le menu, si bien que je ne vois pas arriver Jake jusqu'au moment où il est debout devant moi, s'inclinant pour m'embrasser tout en se répandant en excuses, saluts et autres salamalecs. Tout va très vite, et le voici assis face à moi, heureusement à une distance rassurante. Aussitôt, le courant passe, il dégage un charme explosif, toujours aussi lisse et soigné. Avec son rasage nickel et ses cheveux humides, il semble sans défense. Nu, voilà le mot qui me vient à l'esprit et que je m'efforce d'oublier.

De quoi parlons-nous ? Je m'en souviens à peine. À un moment, il évoque sa petite amie, et je grimace intérieurement, mais le reste de la conversation demeure en terrain neutre. Ses questions sont polies, mes réponses plus curieuses. Nous faisons tout pour éviter le silence, demeurer le plus loin possible de l'abîme liquide qui inonde l'espace entre nous dès que nos regards se croisent un peu trop longtemps. Peu à peu, le restaurant se vide. Entrées et plats sont passés, les serveurs sont plus détendus. Derrière le rideau de scène retentit un rire qui fleure la fin du travail. Avant de terminer son thé à la menthe, Jake disparaît pour aller mettre de la monnaie dans l'horodateur, nous offrant encore un peu de temps au cours duquel nous nous laissons porter par le calme de ces heures de plein après-midi qui d'habitude sont réservées au week-end. Dehors, le temps est en train de changer, comme pour nous rappeler que les petites touches printanières étaient une illusion. Nos regards se font plus audacieux, nos paroles plus sourdes, mais ni l'un ni l'autre n'est prêt à se lever ni à se carrer sur sa chaise – à faire le premier geste. En revanche, Jake a un geste beaucoup plus explicite : il me tend la main en signe d'invitation. Mais à quoi ? Rassasier un besoin de consolation commun face à ce qui aurait pu être ? S'offrir un câlin au nom du bon vieux temps ?

C'est à ce moment-là que je remarque la musique. Présente depuis le début, elle était inaudible et sans saveur, ensevelie sous le cliquetis des couverts. Mais, à présent, c'est une longue mélodie qui commence avec des accords de piano et s'enroule autour de nous comme un serpent venimeux. Accents de blues, langoureux, puis une basse qui folâtre en sourdine tandis qu'Erma Franklin, la sœur aînée d'Aretha, se demande d'une voix suave si elle a jamais caché quelque chose à son homme. Monte alors la réponse du chœur, un long soupir, une lamentation lancinante et pleine de compassion, quand soudain un roulement de tambour brise le tout, et l'on est emporté par une mélopée de pure soul. Erma se déchaîne, comme pour montrer à son mauvais amant toute la dureté dont une femme est capable. C'est une de mes chansons préférées, *Piece of my Heart*, qui dégage une force inouïe et un tempo envoûtant en dépit de sa profonde mélancolie. Les paroles sont un encouragement à maîtriser et à dépasser son chagrin, mais, dans le fond, le chœur trahit ce qu'est la chanson en vérité : une apologie de l'exquise souffrance de l'amour, de cet abandon maso mais divin. Irrésistible.

Je parie que vous avez deviné la suite… Je fais comme si je n'avais pas remarqué la main tendue de Jake. J'agrippe ma tasse et, sous la table, je frappe du pied, frénétique, tâchant de canaliser toute mon énergie à fleur de peau. Mon cœur bat la chamade, je sens que mes joues rougissent, ou plutôt tout mon corps, à vif. Si seulement je pouvais accuser la musique ! Non, ce serait me défausser. Mais, au moment où Erma hurle « Take it ! », ma main avance, s'aventure dans le no man's land entre le sucrier et la salière…

Et prend celle de Jake.

Ne t'inquiète pas, me rassuré-je, on va rester assis main dans la main, ce sera notre façon de dire définitivement adieu à la magie que nous avons partagée, quelle qu'elle fût, et qui n'est plus. Un geste amical, presque noble. La scène que nous aurions dû jouer dès le début pour reconnaître que la pression était trop forte. Tiens ! on dirait la scène des adieux de *Brève Rencontre*, le film de David Lean.

Ma petite voix intérieure continue à bavarder comme celle de Dolly Messiter, l'épouvantable personnage du film, mais déjà je suis perdue. Je le sais, avant même de lever les yeux vers lui quand nos lèvres s'effleurent, avant même que son baiser ne me bouleverse tout entière. La douce voix d'Erma revient, ne supportant pas la douleur mais s'y abandonnant. L'extrémité de nos doigts se touchent et le monde s'évanouit. Ne demeurent plus que lui et moi, cette pression douce qui n'en est pas une, le contraire, une absence absolue de poids. Je flotte, à tel point qu'au moment où je me penche pour l'embrasser je suis surprise d'avoir à avancer tout mon corps pour enjamber cet océan de lin blanc. La distance que je me suis efforcée d'établir entre nous depuis si longtemps est abolie, trop vite pour pouvoir hurler *Take it !*, trop rapide pour le supplier : *Break it.*

Quand j'étais petite, un de mes plaisirs préférés était ces fleurs en papier qu'on achetait au magasin chinois, ces petites boules brillantes que l'on envoyait voguer à la surface d'une tasse d'eau pour qu'elles se déploient. C'est ainsi que se déroule cet après-midi, avec la même vivacité, mais au ralenti, inexorable. Nous sommes enlacés sur le trottoir, oublieux de tout, du temps, de l'espace, des passants. Je me glisse dans la voiture de Jake, et nous prenons une direction que je connais par cœur, opposée à celle qui devrait me ramener chez moi. Son appartement est plus petit que dans mon souvenir, comme si j'avais grandi entre-temps, mais le plus troublant est ce qui n'a pas changé.

Allongée dans ses bras sur le canapé, mon visage contre le sien, je suis tellement submergée que j'ai mal. Ma tête est incapable de reprendre le dessus. Le fait de le voir, ce visage que jamais je ne me lasserai d'admirer, la sensation de ses lèvres picotant les miennes, son parfum… C'est lui, ce parfum, qui me tue. Passé et présent se télescopent et je suis renvoyée là où sa présence me renvoie depuis toujours, perdue et enracinée, pleine d'espoir et sans espoir. Moi qui étais persuadée de ne plus l'avoir dans la peau, pourquoi n'ai-je pas su résister à cette urgence – en avoir la preuve, être certaine ? Suis-je de nouveau prête à m'abandonner à son emprise ?

Non, cette fois, je suis tenue par mon vœu. Mais comment faire pour arrêter un courant que je n'ai jamais cherché à interrompre jusqu'ici ?

Nos baisers sont si pleins, si enveloppants que je mets quelque temps à sentir ses mains sur mon corps. En des lieux où nulles mains d'homme ne se sont aventurées depuis longtemps. Huit mois bientôt, et ces mains, c'étaient celles de Jake. Une vague de nostalgie douce m'envahit, car je sais où cela va m'entraîner, ici et maintenant, à bout de souffle, mais je sais aussi que cela ne me mènera nulle part, surtout si je me comporte comme la dernière fois. Il m'en coûte un immense effort de volonté, mais j'arrive à retenir les mains de Jake assez longtemps pour que la température baisse. De quelques degrés.

– Je ne peux pas, dis-je dans un souffle.

Il se fige, autant parce qu'il est surpris qu'en vertu de l'ordre implicite. Mais comment lui dire ? Allongés sur son canapé, nous sommes si proches que nos chuchotements semblent des cris, et chaque mot prend corps, pesant de tout son poids dans cette atmosphère de crépuscule.

– Le projet dont je t'ai parlé pendant le déjeuner…, bredouillé-je, c'est un vœu de chasteté, un vœu d'une année de chasteté.

Ouf ! je l'ai lâché. J'ai les joues en feu. Mais pourquoi le mot « chasteté » me met-il dans un tel état ? Alors que la moindre fibre de mon corps le regrette déjà, j'éprouve un sentiment, grisant et entièrement nouveau, de maîtrise de moi-même. Pourtant, je suis accro à la réponse de Jake. Comment va-t-il réagir ? C'est le premier homme à qui je l'avoue en de telles circonstances. Il éclate de rire.

Plus exactement, il s'esclaffe.

On dirait une bulle de BD, avec plein de points d'exclamation et de voyelles imprononçables. Sans la moindre hostilité, mais parce qu'il vient de prendre conscience de l'absurdité de la situation : comme s'il n'avait pas mis suffisamment d'obstacles entre nous, je viens d'en introduire un, radical. Mais où est la dimension morale d'un aveu livré alors que nous étions langoureusement enlacés dans les bras l'un de l'autre ?

Au-delà du rire, enfin, nous pouvons avoir la discussion qui planait au-dessus de nous depuis si longtemps. Une des raisons qui m'avaient incitée à faire vœu d'abstinence, c'est que Jake m'avait dit qu'il ne m'aimait pas. Et sur un ton étrange, un mélange de surprise – genre, quelle drôle d'idée, comment as-tu jamais pu imaginer une chose pareille ? – et d'assurance, sûr de son bon droit. Le fait que soyons en train de parler plutôt que de nous précipiter dans sa chambre est en partie liée aux doutes qu'il a suscités en moi. Je ne pouvais me résoudre à croire qu'il ne partageait pas mes sentiments, avec un petit quelque chose en plus – une dimension presque spirituelle. J'étais perturbée de voir qu'au cœur de nos moments les plus intimes il ne partageait rien de ces sentiments. Sans doute étais-je un peu effrayée. Peut-être est-ce cela qui rend ces instants de passion si enivrants : ils vous emportent en des zones où vous êtes absolument seul, où toute conscience de soi est annulée, un lieu au-delà des mots, presque impossible à décrire a posteriori, comme un rapt aliénant. (Un rapt aliénant ? Je sais, c'est bizarre, mais c'est ce que provoque la passion physique.)

À présent, Jake est en train de m'expliquer que j'ai eu raison d'insister, qu'il aura fallu que je disparaisse pendant tout ce temps pour qu'il réfléchisse à ce que je lui avais demandé et remette notre relation à plat. Ma réapparition l'a convaincu d'une chose, dit-il : notre histoire ne disparaîtra pas comme d'autres béguins, il ne retrouvera jamais cette force dans les bras d'une autre (oui, m'avoue-t-il, il s'est livré à quelques explorations de ce côté-là au cours des derniers mois). Mais il a toujours pensé que nous serions incapables de nous entendre dans la vie de tous les jours, que ça ne marcherait pas, tout en admettant qu'il ne sait pas pourquoi il s'est mis ça dans la tête. Jusqu'au moment où il aborde le sujet de sa petite amie fantôme.

Ils sont toujours ensemble. Plus ou moins. Il est persuadé que c'est une histoire finie, mais il n'est pas fichu de lever le petit doigt pour y mettre un terme officiellement.

– Tu veux savoir le comble de l'ironie ? me dit-il. Ces derniers temps, j'ai plus souvent fait l'amour avec toi qu'avec elle. Ça fait dix-huit mois qu'on n'a pas couché ensemble.

Là-dessus, il me demande s'il peut m'embrasser, alors comment résister ? Le long baiser qui suit est précieux, il a le goût salé de toutes les larmes que j'ai versées à cause de lui. Je l'entends m'avouer ceci d'une voix douce, comme s'il se lançait un défi à lui-même : « Je t'aime un peu, je crois. » Sans doute pensez-vous que c'est une demi-mesure, un peu nulle, mais sur le moment je suis tellement sous son charme que sa parole est d'or, et je m'y accroche. Peu après, il est à genoux à mes pieds et se penche d'un côté et de l'autre pour m'observer sous toutes les coutures, comme avant. « Alors, ça nous mène où, tout ça ? me demande-t-il. Mariage et bébés ? »

Je l'ai déjà entendu dire ces mots, mais sur un ton plus insolent et plus léger. Tel qu'il le voit, le lien électrique entre lui et moi n'est que le signe d'une réelle harmonie physique, un encouragement de la nature à poursuivre et à nous reproduire. L'explication lui permet d'obéir à son corps (en se protégeant, bien sûr) sans que la paix de son âme soit troublée. Il partage mes sentiments mais il les range dans la catégorie purement physique. Pour moi, ils sont d'ordre physique, émotionnel, spirituel, voire intellectuel.

Les femmes envisagent et sentent les choses de façon plus totalisante, écrit Shere Hite dans son *Nouveau Rapport sur la sexualité féminine*. D'après elle, cette incapacité à séparer l'esprit du corps, plutôt que d'être liée à la répression, trouverait sa source dans un temps antérieur au jardin d'Éden, à une époque où la vie sexuelle était chargée de sens spirituel et religieux, et vénérée comme la clé du renouveau de la vie.

Il est vrai que cette séparation est propre à la pensée occidentale. Le Kama-sutra, par exemple, que nous ne lisons plus que comme un inventaire de positions, met en valeur le rôle de l'esprit pour avoir une vie sexuelle réussie. Ou encore *La Prairie parfumée*, recueil érotique écrit au XIVe siècle à Tunis par le cheikh al-Nafzâwî, et jugé obscène par les colons européens, qui glose sur le rôle que le corps et l'esprit doivent jouer chacun de leur côté.

Aujourd'hui, la science a pris le relais de la religion et de la philosophie, contribuant à élargir le fossé entre le corps et l'esprit. Les chercheurs nous expliquent qu'une femme qui embrasse un homme plus de quelques minutes est vouée à s'attacher à lui. En avançant que la vie sexuelle peut être étudiée et améliorée, nos soi-disant sexologues font de chacun de nous un don Juan potentiel. Il y a presque cent cinquante ans, les frères Goncourt écrivaient : « Touchez tel ou tel ressort de la femme, vous en ferez jaillir le plaisir ou la franchise, vous lui ferez avouer qu'elle jouit ou qu'elle vous aime à volonté ! C'est affreux. Il faut retourner la phrase de Bonald : l'homme est une intelligence *trahie* par des organes. » Mais qui sait si certaines femmes ne simulent pas ce plaisir ? Voilà qui aurait sûrement effrayé les frères Goncourt plus encore.

Mais retournons chez Jake. Nous sommes tranquillement assis l'un à côté de l'autre pendant qu'il appelle cet oncle qui a failli foutre en l'air notre déjeuner, et qui n'était donc pas un prétexte. Il essaie de trouver un restaurant où tous deux puissent dîner, si possible près de chez moi pour qu'il me dépose au passage. Dehors, il fait nuit, et j'avoue à Jake qu'autrefois, quand il me raccompagnait en voiture, la traversée de ces quartiers dévastés de Londres m'inspirait une profonde tristesse. Nous parlions peu. J'avais souvent la main posée sur son genou et parfois il se penchait vers moi pour m'embrasser à un feu rouge, mais mentalement nous nous éloignions déjà, chacun vers sa propre vie. Chaque carrefour me semblait à l'image de notre incapacité à exprimer ce que nous avions sur le cœur. J'étais hantée par l'idée qu'il y avait une question que je devais lui poser, qui lui permettrait de s'ouvrir à moi et de me révéler où nous allions, de me dire ce que je voulais entendre.

Ce soir, les rues sont les mêmes, mais tout a changé. En mettant un nom sur cette mélancolie sourde, nous lui avons dérobé une partie de son pouvoir.

– Je sais de quoi tu parles, m'avoue Jake, et sa réponse est presque aussi réconfortante que son « Je t'aime un peu, je crois ». Merci d'avoir pris ma main, ajoute-t-il au moment où nous arrivons au pied de chez moi. Je pensais que c'était un déjeuner pour célébrer la fin d'une histoire.

Oui, me dis-je, *moi aussi.*

Plus tard dans la soirée, il m'envoie un texto pour me dire de regarder le ciel. Au milieu de la nuit claire et étoilée, une ombre dérive lentement devant la Lune, et nous observons l'éclipse ensemble, chacun chez soi.

Debout devant l'obscurité, téléphone à la main, je réfléchis à ces retrouvailles passionnées. Quelle tristesse d'en arriver à se méfier de nos expériences les plus profondes. Le sexe est élevé au rang de sport de haute voltige, un art qu'il convient de perfectionner, qui nécessite des gadgets et des commentaires (depuis quand le sexe est-il devenu si bavard ?), pourtant, nous avons cessé de croire à son mystère. Est-ce parce que après avoir éprouvé une même passion pour trois, quatre ou quarante personnes différentes, il est difficile de ne pas dépersonnaliser l'amour physique ? De ne pas réduire ces exquis frissons à un phénomène purement biologique, une simple réaction du corps ? Nous avons tort, car ces émotions jouent un rôle fondamental dans l'amour. Mais, une fois qu'on les a débranchées du cœur, comment les rebrancher ? J'ai toujours fait des efforts désespérés pour garder la foi en m'accrochant à l'idée que le sexe n'était que le sexe.

La quête de l'Un est une des clés de l'idéal amoureux. Elle *est* même cet idéal, écrit Platon dans *Le Banquet*. Or elle est particulièrement évidente sous sa forme sexuelle, quand les corps fusionnent, à la recherche de cette unité. Regards, langues, membres, tout s'enlace. En public, nous tâchons de préserver cette unité à travers des gestes attentionnés, un bras passé autour du dossier d'une chaise, une main posée sur une épaule.

Avec Jake, cette fusion des corps était si profonde que j'avais l'impression d'être délestée de tout, larguée, sans lien émotionnel pour me rattacher. Je voulais que nous existions dans un monde dépassant la sphère physique, de plus en plus nocturne et silencieuse, que nous avions créée. Nous vivions des moments d'une intensité inouïe mais irréels, car dépourvus de prolongement au réveil, n'étaient ces retours muets jusque chez moi.

Nous vivons dans une société qui croit avoir dompté la chose sexuelle à travers les ricanements, les fouets et les corsets en caoutchouc exposés dans les vitrines des sex-shops, une surexposition paralysante, mais, dès qu'il s'agit de débusquer la vérité, un véritable espace sauvage s'ouvre devant nous.

La complicité intellectuelle et émotionnelle s'entretient grâce au temps et au soin. Avec Jake, le cul intervenait toujours à un moment ou à un autre dans la conversation et court-circuitait notre amitié. Il est vrai qu'un autre type de complicité était né, que Jake et moi avions largement sous-estimé. Il aura fallu que nous nous revoyions plusieurs mois plus tard pour voir qu'une certaine affinité nous liait. Nos nuits torrides cachaient un lien plus stable : l'affection.

Néanmoins, et en dépit de mon vœu, la première réaction que Jake provoque en moi demeure physique. Chacun de ses textos me touche en plein cœur et aussitôt je me mets à gamberger sans fin. Je ne dis pas « cœur » dans le sens cucul et mièvre, au contraire, je pense au cœur qui bat dans son sens le plus littéral et le plus sanguin.

Depuis notre déjeuner, je le vois régulièrement. Il incarne l'épreuve absolue par rapport à mon vœu, une tentation presque trop forte, mais ce jeu d'attraction-résistance rend le défi presque jouissif. J'ai l'impression d'avoir acquis une sorte de pouvoir, et j'y prends goût. Mais je m'interroge : si j'avais respecté ma décision initiale de ne pas coucher avec lui tant qu'il n'aurait pas officiellement rompu avec sa petite amie, serait-il encore à mes côtés ?

Son appartement étant devenu un terrain de jeux érotiques, je propose systématiquement des activités qui nous en éloignent. « Si on allait au cinéma ? » lui suggéré-je un jour par SMS. Trop de boulot, me répond-il, et un nuage noir vient obscurcir mon après-midi.

– Renvoie-lui un texto pour qu'il sache ce qu'il rate, me suggère ma sœur en riant.

Une fois n'est pas coutume, je suis d'humeur à l'écouter. Je suis humiliée de voir que je suis accro à ses textos comme si j'avais quinze ans, mais, autant le reconnaître, j'ai besoin qu'on me guide, qu'on me donne des instructions précises. Ma sœur a l'air inquiète, la pénalité pour mauvais conseil en matière amoureuse coûte cher.

– Je ne sais pas, ajoute-t-elle en haussant les épaules. Tu n'as qu'à écrire « dommage » suivi de trois petits points.

Tout à coup, je suis frappée par son art de l'ellipse ; c'est peut-être ça, son secret. Car l'ellipse suggère le mystère, quelque chose qu'elle garde pour elle et qui rend fou ses admirateurs. C'est elle qui les choisit, mais jamais elle qui les poursuit. Ce sont toujours eux qui lui courent après. Cela dit, sa dernière conquête n'est pas géniale : un pseudo-artiste échevelé obligé de vendre des sarongs au marché pour payer son loyer.

Il est déjà tard quand je réponds en suivant les conseils de ma sœur, et encore plus tard quand la réponse de Jake apparaît. Il n'a jamais dit non, se défend-il, du reste, il aimerait beaucoup me voir. « Qu'est-ce que tu fais, tout de suite ? »

Ça marche ! Moins d'une heure plus tard, je me glisse dans sa voiture qui attend au pied de chez moi. Il est minuit passé et les horloges viennent de passer à l'heure d'été, nous dérobant une heure, même si l'atmosphère humide évoque davantage l'automne. Tandis que nous traversons les rues endormies, je me répète la question de Jake : *Qu'est-ce que je fais ?*

Voici ce que je pense : on passera un moment ensemble, on discutera un peu de cinéma français, éventuellement, on regardera un DVD... Bien entendu, personne n'est dupe, ni moi ni Jake, dont les mains errent sous mon pull à la recherche de soie et de dentelle. Soudain, j'arrête la discussion et adopte un autre type de langue. Mais est-ce honnête vis-à-vis de Jake – aller si loin et arrêter au dernier moment ? Je m'endors en m'excusant. Il est calé contre mon dos, le visage enfoui dans ma nuque. Peu après, je suis réveillée par le plus doux des plus doux baisers. Engourdie par le sommeil, les hormones… l'amour, je suis à deux doigts de me laisser aller, quand me reviennent en mémoire les larmes, la douleur, l'impression d'être prise au piège. Et mon vœu.

Une petite mêlée nous oppose, qui dure à peine deux ou trois secondes. Un long silence suit, au cœur duquel j'écoute la respiration de Jake qui ralentit et se fait de plus en plus profonde jusqu'à ce qu'il s'endorme. Je réfléchis à ce qu'il vient de se passer. J'ai résisté, il a résisté, pourtant, je ne suis pas satisfaite. Je me sens inepte. Comme je n'ai pas « ça » à lui offrir, tout mon arsenal de caresses perd son sens. Une réflexion me vient à l'esprit, un vieux reste de roman pour ados : si j'éprouve de tels sentiments d'ineptie et de nullité, c'est que je ne me sens pas assez aimée.

Depuis quelque temps, je remarque que la pile de livres au pied de mon lit a augmenté. Non plus des romans, mais des livres sur la chasteté. Je pensais y trouver des conseils pour résister à la tentation et supporter la solitude, qui peut devenir envahissante. À présent, j'ai des doutes. Un des bouquins recommande d'embrasser ses amis plus longtemps, un autre de se contempler avec amour dans le miroir tous les matins. Faites tous les jours un exercice de respiration, conseille un troisième. « Faites des petits gâteaux, des sablés, confectionnez des biscuits au chocolat. Demandez à vos amies de vous aider. Les hommes se damneraient pour des petites mignardises faites maison », écrit Laura Stepp, journaliste au *Washington Post*, dans « Comment les jeunes femmes cherchent le sexe, retardent l'amour et ratent les deux ». Et si je faisais des petits gâteaux pour Jake ? Non, je suis sûre qu'il refuserait ces sucres rapides qui font grossir. Ou si je préparais un vrai dîner ? Non plus, j'en suis incapable. Au mieux, je peux « rassembler » des plats cuisinés et planquer les emballages.

Nous, les femmes, on ne nous demande plus de savoir cuisiner ni de repriser des chaussettes, en revanche, on attend de nous d'autres talents. Comme s'en réjouit David Kepesh, le narrateur sexagénaire de *La bête qui meurt*, de Philip Roth, les décennies qui ont suivi les années soixante ont achevé la révolution sexuelle et donné naissance à une « génération de fellatrices stupéfiantes ». Exemple, j'ai été étonnée d'apprendre qu'une fille que je connais et qui venait de se faire larguer pour la troisième fois en un an s'était inscrite à un cours de fellation.

Arrêtons de généraliser. Ma sœur, par exemple, cuisine de temps en temps pour son amoureux échevelé. Un soir, je suis arrivée chez elle en fin de soirée et toute la maison embaumait le tajine épicé et le couscous sucré, tandis que tous deux papotaient dans la cuisine. Ou de temps en temps elle passe au marché pour lui apporter des petits gâteaux marrants qu'elle a préparés.

Quant à moi, le lendemain, dimanche, je paresse sur le canapé de Jake et j'écoute le gazouillis des oiseaux qui se mêle aux mélodies qu'il a enregistrées sur son ordinateur : des chansons, des extraits de films qui me rappellent qu'il a une dizaine d'années de plus que moi. Sur la table où traînent nos tasses de thé et nos assiettes pleines de miettes, je remarque une facture aux noms de Jake et de sa copine et, pas loin, un flyer pour un film intitulé… *Menteur*.

La vie n'est pas un roman. Plus tard, j'en viendrai à comprendre qu'à l'époque je passais à côté d'une vérité beaucoup plus simple, de l'ordre de la sagesse. Mais sur le moment je suis incapable de la voir. L'intimité qui s'est installée entre nous, parce qu'elle est privée de sexe, est presque enivrante. Les câlins du petit matin, le plaisir de me réveiller à ses côtés sans chercher un sens caché aux choses… tout ça vaut n'importe quelle lueur postcoïtale. Dormir à côté d'un autre – profiter de la chaleur d'une couverture partagée, accueillir la nouvelle journée à deux – finit par devenir envoûtant. Telle est l'intimité qui me manque depuis que j'ai vingt ans.

Très vite, nos relations se sont réinstallées sur un mode familier. Une nuit, en sortant d'une émission de radio, je demande au chauffeur de taxi d'aller directement chez Jake. Il est 4 heures du matin. Il m'accueille en m'embrassant avec une telle douceur que j'ai l'impression de rompre mon vœu dès le pas de sa porte. À l'aube, je me réveille dans ses bras, baignée par la blancheur de sa chambre, telle une icône de la pureté. La lumière dessine des silhouettes sur les stores, nettes, simples. À quoi bon résister ? me demandé-je. Mon vœu n'était-il pas justement le fruit d'une réaction vis-à-vis de Jake ? Puisque je suis là, chez lui, pourquoi ne pas m'abandonner à ces délices et ne pas laisser tomber mes résolutions ?

Mais le vrai défi m'attend quelques jours plus tard. Je suis invitée à une soirée à deux pas de chez Jake et, à peine sur place, je lui envoie un texto pour savoir s'il est chez lui. L'attente de la réponse met un peu de sel à la soirée. Je discute avec Megan, l'ex-petite amie d'un collègue. La personne qui reçoit est généreuse, le champagne coule à flots. Cela fait deux ans que je n'ai pas vu Megan et je suis frappée de voir à quel point elle a changé. Elle est apaisée et dégage un calme profond, digne du new age. Elle vit toujours seule, me dit-elle, et se concentre sur son travail et ses enfants. Ce qu'elle ne m'avouera que quelques mois plus tard, c'est qu'elle vit sa première année de célibat.

Jake a fini par répondre à mon texto. Je prends mes cliques et mes claques et fonce chez lui, un peu pompette. Il prend mon manteau et remarque que je suis habillée pour sortir. C'est une nouvelle personne en moi qu'il découvre. Là encore, je suis frappée par la frontière qui sépare nos vies. Comme si une nouvelle barrière avait surgi entre nous, outre mon vœu.

Une barrière excitante, et ce qui suit est le non-sexe le plus torride et le plus obscène que j'aie jamais vécu. Plus sexe que le sexe, à tel point que j'ai l'impression d'être en pleine transgression, et la température monte d'autant. Chaque atome de mon être se meurt de désir, et plus il m'en donne, plus j'en redemande. Urgence et ralenti, abandon et résistance, sondes et caresses, un nœud de contradictions fiévreux s'enroule autour de nous, dont l'aboutissement naturel nous est interdit. Il me plaque contre le mur en épinglant mes bras au-dessus de ma tête, me mord le creux du cou tout en y imprimant sa main, glisse le long de mon corps tremblant et ivre de désir pour s'agenouiller. La torture est d'autant plus cruelle que j'ai déjà couché avec lui. Sachant exactement, au détail près, ce à quoi je résiste, la tension est presque insupportable – surtout au moment où il me murmure à l'oreille qu'il pourrait tomber un peu amoureux. Je me penche en arrière pour l'observer et j'aperçois une larme dans son œil, quand soudain c'est plus fort que moi. Ma chasteté demeure intacte, mais, au lieu d'abandonner mon corps, j'abandonne mon cœur. J'épouse ses émotions et les sublime en lui avouant que je suis amoureuse de lui, plus qu'un peu.

# 10

# Avril… à Londres

« Abstinence : est le fait d'une personnalité faible qui cède à la tentation de se priver d'un plaisir. »

Ambrose Bierce, *Le Dictionnaire du diable*

Le jour où je me suis lancée dans cette année d'abstinence, j'étais grisée à l'idée de tout ce que j'aurais enfin le temps et l'énergie de faire, libérée par cette quête sexuelle épuisante. J'écrirais un roman ! L'énergie créative que je dépensais pour imaginer ce que tel ou tel type devait penser, enfin, je la canaliserais à bon escient. Et, plutôt que de suivre des cours de fellation, je me mettrai à l'apprentissage d'une langue, par exemple, l'italien. Ou je prendrais des cours de Pilates. J'étais prête à me métamorphoser en une de ces amazones dont le maquillage *nude* a l'air si naturel, le style de fille qui peut sortir d'une salle de gym en survêtement sans problème.

Si je mets de côté l'écriture du roman et les cours d'italien, je dirai que j'ai été à un cours de Pilates une fois toutes les deux ou trois semaines en moyenne. Non que je ne fusse pas assez motivée. Non, mon problème c'est que je trouve que le Pilates est trop « moi-moi-moi » et fait partie de ce culte de la perfection et du narcissisme qui nous éloigne les uns des autres à un niveau plus profond. À force de lutter pour faire de son corps un temple, on finit par l'adorer. En tout cas, telle était mon excuse.

La méthode Pilates est en partie inspirée par le yoga, et le yoga, nous l'oublions, fait partie d'une tradition hindoue très élaborée. Le plus difficile n'est pas d'arriver à faire le poirier ou de muscler son fessier, c'est d'utiliser sa tête pour atteindre un niveau de conscience plus élevé. De même, la chasteté appartient à une tradition qui, paradoxalement, va dans le sens contraire de ma quête, puisque, dans son contexte religieux originel, il s'agit de transcender non seulement le corps, mais l'être tout entier.

Ce matin, comme par hasard, j'y suis allée, à mon cours de Pilates. En rentrant à pied, rassurée de savoir que mon corps a peu de chances de se métamorphoser en temple, je réfléchis. Finalement, la façon dont j'habite mon corps me le rend très facile à oublier, car je mène une vie très sédentaire : pas de tapis de méditation, mais pas non plus de sorties en boîte ni de sexe. La journée est superbe : au-dessus de moi le ciel est grand bleu, à côté le parc est verdoyant, et à mes pieds les fleurs de cerisier sont roses. Des amoureux se promènent enlacés, drapés l'un autour de l'autre, les cafés sont pleins, avec un chien ou un tricycle à côté de chaque table. Je pense à l'étrangeté de ce deuxième acte entre Jake et moi qui correspond pile avec le premier. Non seulement les saisons mais le lieu se répondent : c'est exactement ici que j'étais assise, en plein soleil, quand je lui ai envoyé un texto pour lui souhaiter bon anniversaire un an plus tôt.

Pour la première fois, notre rapport est fondé sur une certaine parité. J'attends de lui plus qu'il ne peut m'en donner d'un point de vue émotionnel. Et lui en attend plus de moi que je ne suis prête à lui donner d'un point de vue physique. À vrai dire, cela ne me console guère. J'essaie désespérément de relier chacun de nos rendez-vous dans l'espoir d'y voir un ensemble cohérent. En vain. Même si chaque fois j'arrive à préserver ma chasteté, nos rencontres ont toujours lieu la nuit et après un prélude de plus en plus silencieux.

Nous sommes loin de la petite joute verbale de Katharine Hepburn et de Spencer Tracy, même si, les rares fois où nous nous parlons, c'est de cinéma. Jake fait souvent référence à des intrigues de films pour expliquer ce qu'il ressent, ensuite, je loue le DVD des films en question. La plupart sont des films français, rarement contemporains, qui finissent mal en général. *Il est en train de nous transformer en personnages de films*, me dis-je. Nous sommes foutus, pris au piège d'une palette en noir et blanc ou aux couleurs passées, tels des insectes saisis dans l'ambre.

Pendant ce temps, chaque instant passé avec lui risque de faire voler mon vœu en éclats. Est-ce que je triche ? Si je prends mon vœu au pied de la lettre, non. Mais en esprit ? S'il existait une école de chasteté, je serais déjà renvoyée… Aurais-je été plus sévère envers moi-même si j'avais su qu'il reviendrait dans ma vie ? Pas sûre. Cela aurait facilité les choses, mais tout aurait été faussé. De son côté, Jake ne cesse de répéter que j'ai besoin de lui, qu'il faut que je sois confrontée à la tentation pour valider mon vœu.

Depuis longtemps, le sexualité féminine se définit en fonction du regard de l'homme. Même Anaïs Nin, auteur de récits coquins et de journaux intimes, avoua un jour : « Flirter avec les hommes, non pas écrire, m'a aidée à devenir femme. » Peut-être ai-je besoin d'éprouver la même chose, mais en sens inverse : aurais-je besoin de repousser les avances d'un homme pour me sentir chaste ?

Je pensais que mon vœu était un acte de rébellion personnel contre un code de conduite masculin. Un code qui m'avait amenée à renier mon propre corps, mais c'est peut-être ma propre définition du sexe qui est le problème. Autrement dit, est-ce une simple question de pénétration ? Ne serais-je pas un peu phallocentrique ?

Les magazines féminins ont beau nous encourager à nous libérer en baisant en toute légèreté, si vous interrogez les femmes qui ont vécu les années soixante, elles nuanceront largement. Dans ses Mémoires, Lynne Segal, féministe australienne de la seconde vague, n'hésite pas à évoquer la frustration dont ce type de conception est issu : « C'est l'absence de jouissance, ou de réelle intimité dans leur vie sexuelle avec les hommes, qui a poussé les femmes à parler de "libération" dans les années soixante [...]. Certaines femmes avaient à la fois des orgasmes et une intimité profonde tels que les avait célébrés l'"été de l'amour" de 1967, néanmoins, peu d'entre elles étaient libérées de leurs doutes et de leurs conflits avec les hommes. » Bientôt, le discours féministe allait se crisper autour du « mythe de l'orgasme vaginal », cause principale de ce sentiment d'échec et d'insatisfaction. Lynne Segal se rappelle avoir rencontré des hommes traumatisés par des féministes radicales qui refusaient carrément la pénétration en déclarant que c'était antiféministe. (Je devrais peut-être dire ça à Jake ?) D'autres sont devenues des « lesbiennes politiques », et peu à peu le mouvement s'est scindé en groupuscules se chamaillant entre eux. Aujourd'hui, il est difficile de trouver une femme prête à lever le doigt pour se déclarer féministe.

Faut-il cependant rappeler les victoires obtenues par le féminisme ? À l'aube du nouveau millénaire, la vie sexuelle est toujours décrite à travers le filtre du regard des hommes. Il est même difficile de distinguer un magazine féminin d'un magazine pour hommes en ne regardant que les images : les photos destinées à faire vendre la mode féminine sont exactement les mêmes que celles qui servent à vendre les femmes aux hommes. Voici ce qu'écrit la journaliste américaine Ariel Levy dans un essai top tendance intitulé *Les Nouvelles Salopes. Les femmes et l'essor de la culture porno* : « Cette version bon marché et BD de la sexualité féminine est devenue tellement envahissante qu'elle ne paraît plus exceptionnelle. Ce qui, autrefois, était considéré comme une des formes d'expression sexuelle, est maintenant considéré comme l'expression sexuelle par excellence. »

J'ose ajouter que Freud aurait sans doute son mot à dire sur mon cas. Genre : la vie sexuelle d'Anna G., nymphomane malgré elle ? J'en parle alors que, récemment, j'ai découvert que douze mois était la période d'« assèchement » recommandée par les « Accros du sexe anonymes », association créée outre-Atlantique sur le modèle des Alcooliques anonymes. Leur site Internet propose une liste des caractéristiques de cette dépendance, et j'avoue que j'ai été troublée de découvrir que beaucoup de critères me correspondent. « Votre comportement sexuel ou amoureux vous a-t-il déjà mis dans un état de désespoir profond, ou a-t-il provoqué chez vous un sentiment d'aliénation par rapport aux autres, ou des envies de suicide ? » Ou encore : « Chaque liaison a-t-elle toujours le même schéma destructeur qui vous a décidé à mettre fin à la précédente ? » Si ça inclut les liaisons où c'est moi qui me suis fait larguer, alors oui, la réponse est oui !

À présent, la question qui me hante est la suivante : en m'interdisant d'aller jusqu'au bout, me suis-je préservée de la moindre douleur ? Oui, le fait de me retenir crée une réelle différence. J'en suis presque à souhaiter que ce ne soit pas le cas – à entendre Erma Franklin, la capitulation est tellement exquise…

En tout cas, le fait de réfléchir à tout cela me permet d'avoir un peu plus de recul. Je suis enfin capable de voir que cette liaison est mauvaise non seulement pour moi, mais pour Jake. Notre histoire lui sert d'alibi, sinon il serait obligé de faire face à la situation avec sa « petite amie », qu'il n'a pas vue depuis des mois et avec qui il n'a pas couché depuis plus longtemps encore. Quant à moi, je me sens à la fois mal à l'aise et proche de cette femme que je n'ai jamais rencontrée. Chacune de nous a droit à une moitié d'histoire. Si c'était une épreuve de tir à la corde, qui l'emporterait ? La moitié cérébrale ou la moitié physique ?

Paradoxalement, mon vœu d'abstinence a rendu ma relation avec Jake encore plus physique. La ligne que j'ai dessinée entre nous deux est un défi qui nous titille en permanence, une frontière que nous rêvons de franchir. L'idée exquise de transgression, d'interdit est encore plus présente, telle la ceinture de chasteté qui était alors un moyen tordu pour les hommes de dominer la sexualité féminine, et qui aujourd'hui est un truc de jeux pervers. De même, mon vœu est devenu synonyme d'érotisme torride.

Ce qui me rappelle le vicomte de Valmont, goujat s'il en est, dans *Les Liaisons dangereuses*. Au début, la pieuse présidente de Tourvel ne suscite en lui qu'une volonté de destruction, mais peu à peu le vicomte est excité par sa résistance. « Je croyais mon cœur flétri, et ne me trouvant plus que des sens, je me plaignais d'une vieillesse prématurée.

Mme de Tourvel m'a rendu les charmantes illusions de la jeunesse », écrit-il à sa vieille maîtresse, l'intrigante marquise de Merteuil.

Je n'ai pas de nouvelles de Jake depuis dix jours, et le fait même de compter me déprime. En passant devant le café où je lui ai envoyé ce texto pour lui souhaiter bon anniversaire un an plus tôt, le jour où j'ai décidé de faire abstinence, je me souviens qu'à l'époque j'étais déterminée à reprendre la maîtrise de ma vie sentimentale. Or voilà que je fais n'importe quoi, et hop, je lui envoie un nouveau texto pour lui proposer de prendre un verre. Il répond tout de suite : « O.K., où et quand ? »

Pour dire la vérité, je suis les conseils de Nina, qui m'a encouragée à organiser un vrai sommet avec lui. On se retrouve dans le bar d'un restaurant classique et chicos, avec un petit côté Edward Hopper. Les chansons de Sinatra évoquent plutôt Noël et de longues soirées au feu de bois que le printemps. Que je suis bête ! Pourquoi est-ce que j'ai choisi ce restaurant ? Toc, ringard à souhait.

Va droit au but, m'avait recommandé Nina. D'accord, mais quel est mon but ? Si elle était là, elle aurait un traité parfaitement rédigé et prêt à être signé. Moi, je n'ai rien. Et mon verre de vin blanc ne m'aide pas. À chaque gorgée, je sens ma détermination fondre un peu plus.

En face de moi est assis un étranger. Silencieux. Dont les manières révèlent un mélange d'homme blessé et sur la défensive.

– Je voulais te parler de deux ou trois choses…

– Je m'en doutais, répond-il en baissant les yeux.

La table me paraît immense, je suis perdue. J'ai beau l'avoir répété dans ma tête, tout ce que je voulais lui dire me semble creux, et tellement évident que je suis incapable de continuer. Il n'est pas prêt à s'engager dans une nouvelle aventure, ça, au moins, c'est clair de chez clair. Il est là, vautré à l'autre bout de la table, brandissant la coquille de son autre liaison comme un bouclier. Mais à quoi bon lui dire ce qu'il sait parfaitement, et depuis le début ? C'est moi qui ai besoin qu'on me dise la vérité tout haut : « Hephzibah, imbécile ! Même s'il le voulait, il ne pourrait pas te donner ce dont tu as besoin. En plus, tu sais quoi ? Il n'en a aucune envie. » C'est peut-être ce que Nina avait en tête en me proposant d'organiser ce sommet. Et si elle avait été trop bienveillante pour oser me le dire directement ?

Jake a senti que le moment de crise est passé. Il commande une salade sur laquelle il se précipite à peine elle arrive. Quant à moi, je demande un second verre de vin que je regrette aussitôt… Peu après, nous sortons pour aller nous promener dans Green Park, enveloppés dans une obscurité insolite zébrée par de faux réverbères anciens sous lesquels errent des touristes perdus et des couples. Un clochard parle tout seul, agité, et je lui souris à travers la nuit, moi qui entretiens aussi une conversation permanente avec moi-même. Nous sommes deux âmes en peine…

Soudain, Jake m'embrasse et me prend par la main pour m'entraîner vers sa voiture. Sans un mot, nous naviguons jusque chez lui. Plus tard, entre veille et sommeil, j'ai vaguement conscience de mon échec, presque comique, à avoir désiré une vraie discussion. Ce serait peut-être plus facile dans le noir, me dis-je, quand le monde a l'air plus simple, les lignes plus nettes et plus distinctes… mais aussitôt mes yeux se ferment.

Il y a peu de temps, j'ai découvert que Jake tenait le journal de ses rêves. Je trouve ça tellement mélancolique, cette façon de commencer la journée en essayant de saisir l'insaisissable, un monde qui s'échappe à chaque mot. Je ne sais pas ce qu'il a écrit ce jour-là, mais moi j'ai fait un rêve étrange dans lequel je me réveillais et sortais alors qu'il dormait encore pour aller à pied jusqu'à Soho. C'était le Soho branché du week-end, et je me retrouvais coincée au milieu d'une foule de gens qui avaient picolé, je voulais le joindre par téléphone, mais c'était impossible, j'étais folle d'angoisse.

Voilà, c'est ce que j'étais incapable de faire dans la vraie vie – lancer mon ultimatum et m'en aller –, maquillant mon échec sous une série de prétextes. Honnêtement, j'avais l'intention d'aller droit au but avec Jake et de lui dire de me rappeler le jour où il serait libre et prêt à s'engager. Mon rêve symbolisait ma hantise : retomber dans la vie chaotique de mes vingt ans. Sauf que maintenant j'ai mon vœu et n'ai plus d'excuses.

À un moment, au cours de cette interminable nuit enlacée, nous avons parlé, mais de cul, pas d'émotions, de ce que mon vœu m'interdit de faire, mais surtout pas de ce que sa situation l'empêche de donner. Les sentiments sont un sujet beaucoup plus délicat à aborder. Comment se fait-il que je sois si libre avec lui au lit et si angoissée le reste du temps ?

Parmi les révélations les plus douces de mon vœu, j'ai appris à sentir et à nommer des sentiments pour lesquels je manquais de vocabulaire. Ce sont souvent des mots qui auraient besoin d'un bon dépoussiérage, qui fleurent l'antimite et évoquent le bruissement des crinolines. Avant mon vœu, ils m'auraient semblé corsetés, ridicules, absurdes.

Pourtant, leur côté obsolète permet de les personnaliser, c'est pour ça qu'ils sont si riches et si variés. Langueur, tolérance, adoration : à présent, j'apprécie les profondeurs insoupçonnées qui se cachent sous la surface irréprochable de ces termes.

Le lendemain matin, au réveil, Jake prépare du thé et nous abordons le sujet que j'avais évité la veille. De mon côté, la conversation est facilitée par le fait que je peux parler au passé et au conditionnel : « Ce que je voulais t'avouer », ou « Ce que j'aurais dû te dire ». Hélas, les réponses de Jake sont au futur. Il est trop lâche pour rompre une liaison, reconnaît-il, et, même s'il y mettait un terme, il ne serait pas prêt à s'« agenouiller à [mes] pieds ». Je suis étonnée de l'entendre utiliser cette expression, mais, bon, mon vœu donne une couleur sépia à tant d'aspects de ma vie, alors, au point où j'en suis… Il ajoute qu'il y a réfléchi. Il a parlé de moi à un de ses amis, et j'ai été qualifiée de parfaite, mais, quand même, il se pose des questions. En plus, il n'a pas oublié ses échecs passés ; il est encore capable de se tromper.

Ce qu'il y a de plus triste dans ce genre de situations, c'est qu'elles sont complètement clichés. Notre souffrance ne nous appartient pas complètement. Nous sommes condamnés à nous faire mal comme on s'est toujours fait mal.

Je réponds à Jake. Même en ayant fait vœu de chasteté, j'estime qu'on a tort de ne pas reconnaître l'harmonie physique qui règne entre nous – et je ne parle pas que de l'aspect sexuel. Nous évoluons dans le même espace sans le moindre heurt, la circulation entre nous est aussi fluide qu'entre l'air et l'eau. Il y a dans cette entente quelque chose de si élémentaire qu'elle semble nous échapper – au fond, n'est-ce pas ce que nous cherchons dans l'amour ? Mais nous avons peur de choisir. Nous espérons qu'un petit Cupidon potelé décochera sur nous sa flèche afin de décider à notre place.

Jake est d'accord, il y a plus entre nous, reconnaît-il. Mais cette petite victoire me semble un peu forcée, comme s'il me l'avait accordée du bout des lèvres pour mettre fin à la conversation. O.K., on passera plus de temps ensemble, mais de façon moins passionnée, décidons-nous. Plutôt de jour. « Je peux ? » ajoute-t-il en se penchant pour m'embrasser.

Et voilà, résultat de cette prise de tête, nous finissons par nous envoyer en l'air dans un des rares coins de son appartement où ça ne nous était jamais arrivé. Un jour, j'ai lu une nouvelle qui mettait en scène un instrument de détection futuriste projetant un rayon autour d'une pièce pour révéler non pas des traces de sang mais des traces de désir. Avec un tel gadget en main, l'appartement de Jake serait entièrement phosphorescent.

Retour dans mon café préféré avec Nina. Nous analysons mon cas, enchaînant les anecdotes qui nous concernent avec celles qui concernent des amis et des amis d'amis. Entre deux gorgées, nous déversons tout ce que nous savons d'incidents et de précédents, échafaudant peu à peu un super « théorème de Jake ».

Les hommes se livrent-ils à ce genre de séances rituelles d'écriture ? Nous, les femmes, nous brodons à partir de petits bouts : des débuts enivrants, des fins plus ou moins floues, quelques ellipses au passage, et parfois nous en arrivons à bâtir des histoires qui ont l'air plus vraies que la réalité. En général, seule la partie sexe est avérée, mais le reste ? Le reste nous appartient, selon la façon dont nous décidons de tisser les fils avec les copines. Après avoir bu un immense verre de vin (une demi-bouteille), je songe que Jake et moi venons peut-être de rompre, si tant est qu'on puisse rompre quelque chose qui n'a jamais vraiment existé. En tout cas, vu de l'extérieur, c'est à une rupture que ça ressemble.

Les échanges de conseils amoureux ont plus de vertus thérapeutiques que pratiques. Nous exposons notre problème, après quoi, nous buvons les paroles de notre confident(e) en espérant qu'il ou elle nous apportera la solution. Mais combien de fois suivons-nous vraiment ses conseils ? Ces paroles de consolation et de bon sens nous semblent rarement adaptées à ce que nous vivons.

Tirer parti des leçons d'après ses propres expériences est assez délicat : nous avons besoin de croire que tout est encore possible, que les impasses dans lesquelles nous nous retrouvons finiront par être bénéfiques.

Quand Jake a ressurgi dans ma vie, m'interdire d'aller jusqu'au bout me donnait un sentiment de pouvoir. À présent, j'ai l'impression que c'est devenu un but excitant en soi. Et, pour Jake, le droit de se laisser porter sans le moindre engagement – autre effet pervers.

Le lendemain, je me sens étonnamment bien, même si je me mets à briquer mon appartement en mettant la musique à tue-tête, ce qui est mauvais signe. Je suis censée prendre le thé avec Rafiq, mais j'ai envie d'annuler. J'ai accepté un boulot en free-lance pour lui, et, de son côté, il doit me livrer des cartes de visite à mon nom. Allez, un petit effort, j'y vais.

Il m'a donné rendez-vous dans une pâtisserie où je suis obligée de goûter à une orgie de sucreries. Ensuite, nous marchons jusqu'à sa voiture. Les rues sont désertes, en chemin, nous passons devant une nouvelle pâtisserie et il en profite pour entrer et acheter une nouvelle fournée de pâtisseries mortelles. Est-ce parce qu'il est musulman et boit peu, même s'il n'est pas très pratiquant ? Il a peut-être envie de m'enivrer au sucre ?

John Harvey Kellog, qui demeura chaste jusqu'à la fin de ses jours, passa son temps à décrier la vie sexuelle dans toutes sortes de publications. Les rapports sexuels, prétendait-il, pouvaient « retarder la croissance, affaiblir le corps et diminuer les capacités intellectuelles ». Le tabac, l'alcool, les corsets et la constipation étaient dangereux pour les personnes qui vivaient dans la chasteté, tout comme un chauffage excessif et de trop longues heures passées assis, mauvais pour la volonté. Ah oui, et la danse ! Les sucreries n'étaient pas considérées comme pornos, mais les confitures et les « petits pains à la farine trop raffinée » suffisamment puissants pour que Kellog y voie une des causes de perdition des pasteurs faisant la tournée de leur paroisse.

Retour à Rafiq, qui tout à coup me sort une poignée de cartes de sa poche, tel un magicien. Puis il ouvre la portière côté passager en me demandant : « Qu'est-ce que tu fais ? Si tu veux, je comptais aller chez Raj regarder un peu de cricket et... déguster mes gâteaux. Ça te dit ? »

Plutôt que rentrer chez moi et me languir de Jake, j'y vais. La lumière change à mesure que nous dérivons vers les beaux quartiers. Les maisons sont d'une blancheur éclatante, plus hautes, comme si le ciel leur appartenait. Devant chacune clignote une alarme qui veille à la paix des familles protégées par des volets fermés. Nous arrivons devant chez Raj, dont Rafiq est chargé de surveiller la maison. L'intérieur est immaculé, tellement propre que j'enlève mes chaussures avant de descendre les escaliers qui mènent à un grand espace ouvert sur un jardin. C'est une maison louée, m'explique Rafiq. Louée et meublée avec tout : couverts, vaisselle, draps, serviettes, y compris les soi-disant touches personnelles, tels un vase à la forme étrange ou une peinture aux couleurs chatoyantes.

Je ne sais pas si c'est à cause de la moquette crème, mais j'ai l'impression d'être une intruse et je marche sur la pointe des pieds… pointe des pieds jusqu'à la cuisine où Rafiq prépare du thé… pointe des pieds jusqu'au jardin où il a installé toutes ses pâtisseries gorgées de sucre ou dégoulinantes de chocolat qui commencent à fondre dangereusement. Il insiste pour que je partage ses agapes, mais je résiste. Une vraie bataille a lieu entre nous, dont l'enjeu dépasse les choux à la crème…

Entre-temps, le soleil a disparu derrière un épais nuage, et nous rentrons à l'intérieur. Ouf ! Rafiq s'assied sur la chaise, moi sur le canapé, mais pas vraiment à l'aise. Très vite, la conversation tourne court, mais l'accalmie dégage quelque chose d'hypnotique, un élastique qu'on a l'impression de pouvoir étirer à l'infini. Jusqu'au moment où l'immense écran plat s'allume et s'anime et dans toute la pièce résonne le bruissement des battes de cuir sur fond de timides applaudissements. Enfin un peu de distraction ! Béni soit ce match de cricket.

Dans son genre, ce dimanche après-midi passé sur un canapé en cuir s'avérera beaucoup plus instructif que des heures et des heures allongée sur un canapé de psy. J'avais accepté la proposition de Rafiq par curiosité, sans me demander ce qui pourrait arriver. La situation était trop tentante : un beau mec au teint basané et au regard triste, avec une voiture de sport décapotable… Pas vraiment mon monde, mais justement. « Les femmes se voient dans les yeux de l'homme qui les aime comme dans un miroir. Dans chaque homme j'ai vu une nouvelle femme – et une nouvelle vie », écrivait l'insatiable Anaïs Nin. Qui sait ? Si ça se trouve, Rafiq avait simplement envie de manger des gâteaux et de regarder du cricket ? C'est peut-être moi qui ai l'esprit mal placé. Mon vœu de chasteté serait-il en train de me transformer en Anaïs Nin ?

Au fond, je me rends compte que ce n'est jamais moi qui fais le premier pas. De ce point de vue-là, je suis extrêmement conformiste, puisque toutes les études montrent que ce sont les hommes qui le franchissent. Cela dit, les femmes ne sont pas en reste : toute l'histoire prouve qu'elles ont l'art de maîtriser la libido des hommes. Les bonnes épouses, dit-on, se couchaient vêtues de longues chemises de nuit en pilou.

Ce matin je me suis réveillée à 5 heures pour essayer de finir un article que j'aurais déjà dû avoir remis. Je suis coincée dans un *minicab* en plein soleil. J'ai rendez-vous dans un immense salon professionnel à l'autre bout de la ville et je suis en retard. Je finis par arriver au salon et je me précipite au bureau de presse pour prendre mon passe. Je suis tellement stressée qu'au moment où je reçois un texto je le lis avant de voir que c'est de la part de Jake. Il vient de m'apercevoir. Je décide de prendre un raccourci en passant par l'escalier de secours, qui pue le désinfectant, mais je cours tellement vite que je me rétame sur le sol en béton. La vache ! Heureusement, plus d'humiliation que de mal.

Une éternité plus tard, je suis debout en train de discuter quand soudain Jake se pointe. Chemise et veste impeccables. Il a l'air aussi pro que moi. Le regard complice que je lis sur le visage de mon interlocuteur montre qu'il est plus ou moins au courant de notre histoire. Du reste, peu après, nous nous échappons pour profiter de la journée ensoleillée. Jake se montre d'une politesse irréprochable, comme si nous venions de faire connaissance, y compris quand nous prenons un café, maintenant une distance de bon aloi. Son regard se perd, s'arrête sur les femmes qui passent. Il se lève, m'embrasse pour me dire au revoir, ailleurs. Quelques instants plus tard, j'entre dans une boutique de lingerie et me surprends en train d'admirer une ligne en dentelle baptisée « Adored ». Je parie que la plupart de ces soutiens-gorge et de ces petites culottes sont convoités moins par les hommes que par les femmes qui ont besoin qu'on les adore. Une autre ligne, aussi affriolante et froufrouteuse, a pour nom « Cheribon ». Au fond, les femmes s'habillent de façon sexy pour se remonter le moral, et je n'échappe pas à la règle.

Quelques jours plus tard, je suis invitée à la soirée annuelle qui, un an plus tôt, a été l'occasion de mon premier baiser avec Jake. J'y vais sans hésiter, mais à peine suis-je au milieu de cette foule épouvantable que je le regrette. Il fait trop chaud, l'espace est trop petit et le bruit assourdissant. Une bande de copains imbibés de bière se précipitent sur moi et m'entraînent sur la mezzanine. De là, je vois Jake arriver, balayant du regard la salle avant de disparaître derrière un pilier. Le temps que j'arrive à redescendre, il est en pleine conversation au pied de l'escalier avec une belle Française blonde. Un ami commun nous aperçoit et lui donne un coup de coude, ce qui me vaut un bonjour de sa part, suivi d'un baiser poli et d'une présentation à la blonde en question. Nous nous serrons toutes deux la main, et il se penche vers elle pour lui chuchoter quelques mots à l'oreille.

Je vacille. Heureusement, à ce moment-là, arrive mon jeune monsieur taiseux. (Vous vous en souvenez ? Depuis qu'on s'est rencontrés en octobre, on s'envoie des mails, et il est à Londres pour des raisons professionnelles.) Je suis soulagée : il est grand, parfaitement propre sur lui. Jake réagit en affichant son air le plus professionnel, le plus lisse, tel que je lui ai rarement vu l'avoir. Il a l'air fatigué, les traits tirés, comme si chaque petite ride était là pour rappeler les dix années qui nous séparent. Il a fini de parler avec la blonde et s'avance vers moi, me prenant brusquement la main. Son geste trahit l'intimité qui règne entre nous, et le jeune monsieur taiseux file en direction du bar.

Jake n'habitant pas très loin, nous quittons la soirée en tâchant d'éviter des flaques de bière. Plus tard, au moment où il m'embrasse, quelque chose m'arrive qui ne m'est jamais arrivé dans ses bras : je m'évade, je pense aux rues jonchées de fleurs de cerisiers, à la soirée que nous venons de quitter, au jeune monsieur taiseux…

De son côté, Jake ne semble pas avoir remarqué que nous fêtons notre premier baiser. En outre, c'est exactement le style de rendez-vous que nous nous sommes promis de ne plus avoir une semaine plus tôt. Soudain, il m'enlève un escarpin et l'observe. Serais-je de nouveau princesse ?

« J'ai peur de t'avoir laissée dire non trop vite », dit-il..

Une fois chez moi, je balance ma robe et mes bas dans le panier à linge sale. Entre-temps, mon jeune monsieur taiseux m'a envoyé un message pour me dire qu'il regrettait de ne pas avoir eu le temps de discuter avec moi et me propose de l'accompagner au théâtre le lendemain soir.

C'est une pièce de théâtre très longue, et archicontemporaine : trois acteurs androgynes, une chaise placée au centre de la scène déserte, et un ananas pour unique accessoire.

Après le spectacle, nous retrouvons le dramaturge et nous errons dans les rues à la recherche d'un lieu pour prendre un dernier verre. Nous échouons dans un *dinner* américain qui sert essentiellement des pancakes, au milieu de clients qui ont des têtes de faux jeunes dealers. Nous parlons de tout et de rien jusqu'au moment où le dramaturge se lève pour commander un taxi. Le jeune monsieur taiseux et moi, nous restons, mais au bout d'un certain temps ce vieux troquet souterrain devient pesant et nous sortons, sans autre plan que de marcher un peu. Dehors, il fait encore nuit, mais les premiers gazouillis d'oiseaux se font entendre. Nous sommes dans le quartier des anciennes halles de la ville et à un moment nous demandons à un homme avec des bottes en caoutchouc blanc et un tablier taché de sang s'il connaît un café dans le coin. Autour de nous s'affairent des hommes vêtus de la même façon, blafards et silencieux. Au coin de la rue apparaît Ferraris, un des rares cafés ouvriers de la ville servant exactement ce dont on a besoin à cette heure : du café au lait sucré instantané.

De nouveau dans la rue, un gobelet en polystyrène à la main, nous repérons un joli petit parc, fermé, mais tant pis, nous passons par-dessus la grille avant de nous retrouver au pied d'une statue de femme avec les bras levés, moitié en signe de bienvenue, moitié en signe d'avertissement. La pelouse est bordée de tulipes au violet profond et velouté, presque noir. Il y a des bancs très comme il faut, avec un creux entre chaque siège. Nous nous asseyons, côte à côte mais séparés, sirotant tranquillement notre café. Le ciel est clair, souligné par les contours des feuilles d'arbres.

Nous discutons, rions… Le banc étant un peu dur à la longue, nous allons nous allonger sur la pelouse comme en plein été. Des mouettes blanches fantomatiques crient en se découpant contre le ciel bleu nuit, même s'il ne doit pas être loin de 5 heures.

« Tu ne veux pas poser ta tête ici ? » me propose-t-il. Je m'allonge et délicatement il s'installe de façon que sa poitrine forme un coussin moelleux. Nous tremblons, parce que nous sommes épuisés, mais aussi émus par ce premier contact après des heures de tentation. Nous restons là un long moment, et une partie de moi souhaite que rien ne se passe : n'est-ce pas cela qui rendrait cet instant privilégié entre mille ?

Mon vœu n'est pas la seule chose qui me retienne. À Noël, le jeune monsieur taiseux m'avait envoyé un mail dans lequel il me racontait ses vacances et mentionnait au passage des « futurs beaux-parents ». Il est fiancé ! en avais-je conclu. Mais tout de suite d'autres explications m'étaient venues en tête. Il parlait peut-être de beaux-parents au sens large, en faisant référence à des gens de sa famille. Cela dit, l'idée me déprimait : pourquoi, s'il était fiancé, ne me l'avait-il pas dit plus tôt ?

Je sais que si je lui posais des question, je romprais la magie. Mais j'ai du mal à croire qu'un garçon aussi bien, drôle et bienveillant, s'autorise un tel comportement en étant fiancé. N'aurais-je donc rien appris de toutes les expériences de mes vingt ans ? Non, apparemment pas grand-chose.

Une horloge sonne, 7 heures, et nous nous embrassons, enfin, tendrement, délicatement. Un promeneur en veste à carreaux apparaît avec son chien. Il a l'air amusé de nous voir là, et tout de suite mon jeune monsieur taiseux se redresse en s'époussetant pour sauver les apparences. « Les gens les plus fous adorent le café », murmure-t-il en souriant. Il ne croit pas si bien dire.

# 11

# Avril à New York ou Récits de poursuite

> « Une dame non tentée ne se peut vanter de sa chasteté. »
>
> Montaigne

Quand je cours, c'est vers New York, et cette fois-ci ne fait pas exception. Je suis ici pour une semaine et j'ai loué un appartement dans le quartier de Hell's Kitchen, qui ne sera prêt que demain. Du coup, ce soir, je dors chez Bel Ami, dans son loft qui comporte un seul lit. Un lit très large, m'a-t-il promis au téléphone, et j'ai décidé de le prendre au mot. En outre, après toutes ces nuits folles avec Jake, payer deux cent cinquante dollars la nuit me semble stupide si c'est pour préserver ma chasteté déjà mise à mal.

Il fait chaud, trop chaud pour la saison, et très humide. Bel Ami m'a donné rendez-vous au sud de Manhattan dans l'entrée d'un hôtel relooké et branché. J'ai une heure devant moi, du coup, je décide de casser la croûte sur place. Le restaurant est rempli de clients qui finissent de déjeuner, prêts à signer leurs contrats en repoussant leurs tasses de café et en demandant l'addition. La salle n'a pas de fenêtres, et chaque table est isolée, formant un îlot éclairé par ses propres spots. Une musique discrète couvre les conversations – une mélopée triste et moyen-orientale. Je commande une salade, et peu après je vois arriver un montage alambiqué de pousses et de feuilles, une espèce de mikado culinaro-végétarien. C'est un peu trop après une nuit presque blanche. Histoire de penser à autre chose, je sors le roman que j'ai emporté.

La première phrase met en scène une fille assise seule au restaurant. Je rêve ! Hop, une gorgée d'eau pour faire passer. Deuxième phrase : la fille boit une gorgée d'eau pour faire passer. On n'en est qu'au début et déjà elle est en pleine crise existentielle. Manque de sommeil, trop de caféine… j'ai l'impression vertigineuse que ma vie ne m'appartient pas, comme si j'étais un fantôme, quand tout à coup une main apparaît sur mon épaule et je sursaute. C'est Bel Ami, impeccable, tout sourire, prêt à me conduire chez lui.

Pendant le vol entre Londres et New York, j'ai reçu une série de mails sur mon Blackberry, non seulement de la part de Bel Ami, mais, de la part du jeune monsieur taiseux, qui est à New York pour des raisons professionnelles. Nous nous sommes ratés à deux heures près à Kennedy Airport. Il est en route pour Manhattan et précise qu'il est épuisé, comme s'il avait dormi dans un jardin public. Mais nous nous donnons rendez-vous dans un café.

Je dépose mes affaires chez Bel Ami, puis je cours retrouver mon jeune monsieur taiseux. Il fait tellement beau que nous préférons nous acheter un thé glacé et aller nous balader du côté de Central Park. En une nuit, on est passés de l'hiver au printemps, et tout éclôt, les gens et la nature. C'est tellement étrange de voir s'épanouir ces énormes tulipes américaines délurées, si loin des tulipes sombres de Londres !

– Il faut que je t'avoue un truc, m'annonce le jeune monsieur taiseux en regardant par terre. Quatre ou cinq mots, son ton : je crois que j'ai compris.

– Je sais, dis-je, et effectivement je le sais, maintenant et depuis le début.

Les gens les plus silencieux ne sont-ils pas ceux qu'il faut avoir à l'œil ? Cette légère réticence que je sentais chez lui et mettais sur le compte d'une timidité naturelle – ou d'une éventuelle homosexualité – n'avait évidemment qu'une raison.

Il est fiancé.

Pendant qu'il bredouille de vagues excuses qui frisent la complaisance, je jette un œil sur lui et j'observe ses traits parfaits se transformer en une expression qui correspond à la situation, sans doute nouvelle pour lui, mais désespérément familière pour moi.

Le pire est que c'est en vertu de mon vœu que je suis allée vers lui. Moi qui me félicitais de la jouer sur un mode plus subtil, je viens de comprendre que cette subtilité est due au fait qu'il n'est pas disponible. L'enfer est pavé de bonnes intentions.

Une courte bourrasque sème une pluie de fleurs sur nous. Les épaules couvertes de confettis roses, nous nous mettons à l'abri tout en continuant à siroter notre thé glacé au milieu des saltimbanques et des tapins. Peu après, nous rentrons au siège de la maison d'édition où il travaille. Il m'a promis d'imprimer des documents dont j'ai besoin, mais je sais qu'il pense comme moi : ce petit intermède neutre sera l'occasion de remettre sur les rails une amitié qui commençait à dériver grave.

Nous traversons la rue quand un incident typique de New York a lieu : quatre jeunes joggeurs torse nu nous foncent dessus (me foncent dessus, corrige mon chaperon) comme un bolide. Être écrasée par quatre garçons torse nu dans le vent : quelle belle mort ! Nous en rions encore au moment où nous entrons dans son bureau.

Plus tard, assise au frais dans un bar devant un nouveau thé glacé, je réfléchis : je suis à New York depuis moins de cinq heures et j'ai déjà survécu à une vraie tempête d'émotions. En musique de fond se succèdent Bob Dylan, John Lennon, Dolly Parton... dont les voix emplissent l'atmosphère de regrets, de jalousie et de langueur. Derrière les fenêtres passent des enfants, des vieux messieurs arrondis, d'élégantes femmes vêtues de lin : un défilé de vies irréprochables. Je sais, j'ai tort de penser que tous ces gens sont épargnés par les tourments, de même que j'ai eu tort de penser qu'en supprimant le sexe de ma vie la question ne se poserait plus. Et la fiancée de jeune monsieur taiseux ? Qu'est-ce que ça lui ferait de savoir que son futur mari a passé une nuit blanche avec une fille dans une ville à l'autre bout du monde ? En quoi cela change-t-il quelque chose que nous ayons simplement discuté, ri, écouté le silence ensemble ?

Ce soir-là, je sors retrouver Bel Ami pour le dîner. Il porte une veste sport rayée, moi un chemisier également rayé couleur bonbon acidulé. Je ne peux m'empêcher de sourire devant cette parfaite coordination. Nous choisissons une table en terrasse, et je lui raconte mon fiasco sentimental avec le jeune monsieur taiseux. Il m'écoute patiemment. Le soleil n'est plus très haut dans le ciel, mais les trottoirs et l'air ont conservé la chaleur. L'impression que ce temps sublime est peut-être un mirage, qu'il pourrait encore neiger la semaine suivante autorise tout le monde à se sentir en vacances.

Après le dîner, et pour la troisième fois en une semaine, je me retrouve couchée à côté d'un… troisième homme. Le premier, c'était Jake : méli-mélo à bout de souffle et plutôt regrettable. Le deuxième, c'était mon jeune monsieur taiseux, si sage. Et voilà qu'à présent il s'agit d'un vrai lit partagé. Je commence à me demander si ma chasteté ne serait pas devenue une stratégie inédite pour attirer les hommes. Qui sait si quelque part ne se cache pas un petit dieu de l'amour qui cherche à me provoquer en m'envoyant une cohorte de prétendants ? Cette période d'abstinence volontaire n'est peut-être qu'une répétition avant la grande sécheresse, involontaire ?

Si ma vie était un roman, cela ne tiendrait pas debout. Trop de choses en même temps pour former une intrigue crédible. Je suis censée vivre mon histoire, mais les hommes autour de moi m'en arrachent sans cesse des extraits.

Le lit de Bel Ami, comme promis, est immense. Deux personnes pourraient facilement se perdre au milieu de ces draps couleur café. Et une troisième pourrait se glisser sans que nul ne le remarque.

« Tu trouves ça bizarre ? » me demande Bel Ami en étendant un bras au-dessus de l'océan qui nous sépare. Si j'étendais le mien, je ne suis pas sûre qu'il rejoindrait sa main.

Nous avons mille raisons de vouloir nous allonger à côté de quelqu'un. Cela dit, il est rare que nous obtenions ce que nous voulons ; heureusement, ce soir, j'ai ce que je veux. Je peux fermer les yeux et m'endormir tranquillement aux côtés d'un ami qui connaît mes bons, et mes moins bons côtés. Un amour platonique au vrai sens du terme.

Au milieu de la nuit, je suis réveillée par un bruit d'éclats de verre dû à un vase renversé dans la salle de bains. Quelques heures plus tard, Bel Ami m'avouera qu'il est sorti pour aller boire un café dans un bistrot ouvert toute la nuit. Il se réveille souvent aux aurores, mais j'avoue que je suis contente d'avoir réussi à passer une nuit entière, et chaste, à ses côtés. Est-ce grâce à son insomnie ? En tout cas, j'y vois le signe d'une amitié réelle et forte entre nous. Voyant qu'il se penche délicatement vers moi pour finir mon bacon, je me cale sur ma chaise pour finir mon thé et lire mon journal de potins.

Le studio que j'ai sous-loué est tellement étroit que j'ai à peine assez d'espace pour ouvrir ma valise. Presque plus petit que le lit de Bel Ami. Le moindre centimètre carré, le moindre coin ou recoin est bourré d'objets. Le tout forme un assortiment étrange et incongru qui dégage un petit air excentrique et british. Le studio appartient à une femme partie suivre une session de méditation dans un lieu dépourvu d'ordinateurs, de téléphones portables et de mots. Une retraite entièrement silencieuse, dont elle espère qu'elle l'aidera à surmonter une vraie panne d'écriture. Elle m'a laissé sur une table une de ses nouvelles déjà publiée, sous forme d'un petit tas de photocopies assorti d'un mot. Pour l'instant, je préfère regarder la télé pour écouter les infos. Scandale en Inde : un acteur de Hollywood a osé embrasser une actrice de Bollywood au cours d'une émission télévisée. Il est bon de s'en souvenir : s'embrasser en public n'est pas un geste innocent partout dans le monde.

Une pluie torrentielle a pris le relais du beau temps exceptionnel qui m'a accueillie. Partout où je vais, j'arrive trempée. Je me presse, agrippée à mon parapluie et serrant dans l'autre main, trois tournesols à la tige poilue dont la tête ploie face à ce déluge ainsi qu'un bout de papier détrempé sur lequel est inscrite une improbable adresse au fin fond de l'Upper West Side.

Le hasard a voulu que le Pacha soit à New York en même temps que moi, et je dois le retrouver à dîner chez des amis. J'arrive. La seule invitée déjà présente est une fille qui est sa petite copine intermittente : une vingtaine d'années, anthropologue, très vive.

– J'ai tellement entendu parler de toi ! me dit-elle avec un sourire rayonnant d'assurance et de jeunesse.

Au fond, quel effet me font les grandes différences d'âge dans un couple ? Vu mes rapports ambigus avec Bel Ami, j'aurais du mal à trouver ça choquant. J'ai eu droit à suffisamment de commentaires sur mon cas, soi-disant typique d'une fille qui souffre d'une non-relation avec son père. Il y a sûrement un peu de vrai, mais je connais plein de femmes qui ont une relation père-fille très saine et qui ont l'art de tomber sur des hommes beaucoup plus âgés. Ma théorie est la suivante, mais je vous la confie à voix basse car elle est un peu réac : les femmes aspirent toujours à se trouver inférieures aux hommes avec qui elles sortent. Jusqu'au milieu du siècle dernier, cela nous aurait semblé évident, simplement parce que c'étaient des hommes. C'étaient eux qui détenaient les cordons de la bourse, et notre vie dépendait de la leur. Les temps ont changé, mais l'âge, l'expérience et la réussite demeurent des atouts.

Le dîner du Pacha se passe très bien. Je reste tard car je discute à bâtons rompus avec une amie de la jeune anthropologue. Une belle plante avec un visage aux traits marquants, mais assez d'aplomb pour l'assumer, qui me raconte son histoire de telle façon que je me sens nettement plus âgée, mais pas beaucoup plus raisonnable, et un brin nostalgique. Un de ses ex est à New York, me confie-t-elle, pour une seule nuit, mais, par un concours de circonstances exceptionnel, il vient de gagner une somme faramineuse en participant à un jeu télévisé. Elle hésite à remettre le couvert avec lui, dit-elle, mais sa façon de regarder sa montre prouve qu'elle a déjà pris sa décision.

Comment aurais-je réagi à son âge ? Comme elle, j'aurais sans doute fait mon petit numéro en prétendant que j'hésitais à profiter de la manne. Je n'allais quand même pas coucher avec un type que j'avais rayé de mon avenir ! En dépit de son culot, ma jeune et brillante amie trahit le besoin d'afficher une certaine pudeur. Cela fait partie du jeu, remarquez, même si j'imagine parfaitement tomber sur elle le lendemain et l'entendre me raconter tout le contraire. Au fond, nous aimons nous valoriser en jouant de notre pouvoir sexuel et pour nous détourner de vérités et de désirs qui sont autres.

Je revois le Pacha avant de quitter New York, à l'occasion d'un dîner avec des collègues à Brooklyn auquel il a accepté de m'accompagner. Nous rentrons en taxi ensemble, ravis de partager un des grands plaisirs de Brooklyn : la traversée du pont et l'envie de se jeter à nouveau dans les bras de Manhattan la belle. Sidérés par la beauté clinquante de la ville comme si c'était la première fois, nous décidons de prendre un dernier verre dans une taverne exiguë, le genre de bouge que l'on ne trouve jamais en plein jour. Perchés sur les tabourets du bar, nous sirotons un bourbon où tintent des glaçons bien frais qui mettent en valeur une pointe caramélisée. La musique est forte et le comptoir poisseux cache mille et une nuits…

Au moment même où je me réjouis de passer un moment agréable avec le Pacha après notre liaison houleuse, la conversation en arrive comme par hasard au sujet de notre rupture. Il n'est pas très surprenant que nous ayons des versions très différentes, mais je suis un peu ahurie par la violence avec laquelle nous défendons chacun notre point de vue.

– C'est toi qui m'as couru après ! (Version du Pacha, inattendue.)

– Non, c'est toi ! (Ma version, la rhétorique n'ayant jamais été mon fort.)

– Sauf que je n'étais pas dans une position qui…

– Et comment je pouvais le savoir ? l'interrompé-je. (Je sais, ça ne se fait pas, mais, en l'occurrence, j'estime que j'avais le droit.)

– Question d'intuition.

D'intuition ? Là, je suis furieuse, vraiment.

– Tu as eu ce que tu voulais, et sans une once de culpabilité, et tu es en train de me dire que j'aurais dû faire preuve d'intuition ?

Je ne sais plus comment nous en sommes arrivés là, mais il est tard, très tard, et l'alcool ne m'aide pas. En tout cas, voici ce que j'essaie de lui expliquer : il a réussi à coucher avec moi – sous entendu : ce n'est pas ce que, moi, je voulais. Ou alors si, mais je voulais qu'il s'engage, qu'il me rassure, qu'il me soit dévoué. Mes arguments relèvent peut-être d'une mentalité préféminisme, mais les siens reposent sur un préjugé beaucoup plus ancien encore : l'idée d'un sixième sens féminin.

Heureusement, nous sommes sauvés par l'appel d'une ex du Pacha, plus récente. Elle n'a rien mangé, elle est sortie faire la tournée des bars et n'a plus un rond pour prendre un taxi. Les portables ne passant pas dans le troquet où nous sommes, le Pacha ne cesse d'entrer et de sortir sous une pluie battante pour essayer de résoudre ce nouveau drame. Je commence à me demander si leur liaison est vraiment de l'histoire ancienne. À moins que la fille, comme moi, n'ait décidé qu'il était temps de confronter les notes de la rupture. Le Pacha rentre une dernière fois et se précipite vers moi pour m'annoncer qu'il doit y aller. Merci, je me retrouve avec l'addition et toute seule pour rentrer en taxi. Peu après, du fond de ma petite caisse jaune, je les aperçois, elle, réfugiée sous un porche, et lui faisant les cent pas sur le trottoir, les mains enfoncées dans les poches. Ils n'ont pas l'air très épris, plutôt ennuyés et perdus. Et trempés. Soulagée, je me cale au fond de mon siège en remerciant Cupidon de ne pas être la vedette de ce drame. Pour une fois que je suis dans le rôle de la spectatrice, libre de partir quand je veux !

Le chauffeur écoute la radio : une nocturne où les auditeurs interviennent en téléphonant. Nous continuons de remonter la ville sous une pluie diluvienne quand une femme appelle pour se plaindre qu'au bout d'un an de vie commune son compagnon ne veut toujours pas d'enfants. L'animateur lui demande comment cela se fait. Comment cela se fait-il, en effet ? Car voici ce que j'ai compris au cours de cette soirée de tempête à Manhattan : une fille qui a couché avec un type aura toujours tendance à croire aux contes de fées qui vont avec. C'est un moment tellement fort que l'enchantement dure longtemps, beaucoup plus longtemps que le dernier baiser.

# 12

# Mai-juin ou Vive la différence !

« La femme la plus vertueuse a en elle quelque chose qui n'est pas chaste. »

Honoré de Balzac,
*La Physiologie du mariage*

Il y a huit mois, si j'avais eu le courage d'anticiper et d'imaginer ce à quoi cette année ressemblerait, j'aurais dit que le plus dur serait la dernière ligne droite, à peu près la période actuelle : proche de l'arrivée, mais avec plusieurs longues semaines à tenir. Au lieu de quoi, j'ai l'impression que mon année de chasteté commence à peine.

En éliminant le sexe de ma vie, j'ai créé un vide plus important que je ne l'imaginais. L'impression de manque est parfois cuisante, mais ça passe. Que conseillent donc les manuels d'abstinence ? Faire le tour d'un parc en courant ? Ça marche, pas mal. En tout cas, j'ai compris que le sexe m'avait permis de fermer les yeux sur tout ce qui, dans ma vie, ne correspondait pas à mes attentes ou à mes rêves. Obnubilée par mes histoires, je négligeais mes amis, ma famille, toute réflexion sur le sens de ma vie. Le sexe donnait de l'épaisseur à ces aventures auxquelles j'étais devenue accro. Au cours des dernières semaines, j'ai glissé et dérapé sur la surface de ces surfaces comme… comme un toxico à la recherche d'un fixe, qui n'aspire qu'à une chose, s'abîmer dans un enfer qui lui est trop familier.

Si seulement nous pouvions nous en passer ! En 1929, l'année même de la crise, James Thurber et E. B. White, deux éditorialistes du *New Yorker* publiaient *Le Sexe, pour quoi faire ?*, un canular best-seller. Ils avançaient l'idée que le succès du sexe était lié à l'explosion des ventes de livres qui traitaient du sujet. « Les médecins, les psychiatres et tous ceux qui étudient les comportements déviants traquent le sexe jusque dans les moindres recoins, et l'animal humain semble absorbé dans l'analyse de soi », écrivait White dans l'introduction.

Depuis, la culture pop a achevé de séparer sexe et amour, pourtant, nous avons du mal à croire à l'amour sans sexe. Un mariage non consommé est susceptible d'être annulé. Ou, encore, rares sont les amitiés qui échappent à la dimension sexuelle. « Le côté sexe intervient toujours à un moment ou à un autre », déclare Billy Cristal dans *Quand Harry rencontre Sally*. Ce potentiel non exploité, ce frisson de désir, semble toujours nécessaire, même s'il n'existe qu'à sens unique. Prenons Bel Ami et moi, par exemple. J'aime bien le fait que notre amour soit platonique, en revanche, je déteste l'idée que les choses puissent en rester là. Notre amitié est une forme d'amour courtois, dis-je souvent en riant, même si les chercheurs débattent encore pour savoir si l'amour courtois était aussi chaste que le veut la légende. En tout cas, chastes ou non, les ballades qu'il a inspirées sont chargées d'un réel érotisme.

Je suis dans l'avion au-dessus de l'Atlantique, réfléchissant à tout ça, et je suis bien obligée de reconnaître une chose :

j'ai passé les deux tiers de cette année de chasteté à rechercher le drame à chaque rencontre avec un homme. Ce n'est donc peut-être pas mon rapport au sexe qui pose problème, mais mon rapport aux hommes. Épuisée, les nerfs à vif à cause de tout le sucre et de toute la caféine que j'ai ingurgités, et vaguement touchée par le navet larmoyant que j'ai regardé pendant que les passagers dormaient, j'éclate silencieusement en sanglots, enfouie sous la couverture moelleuse et rouge d'American Airlines.

C'est le moment où un psy m'interrogerait sur mon père. Alors, mon père, justement ? Il a beau avoir vécu avec ma mère, ma sœur et moi jusqu'à ce que j'aie seize ans, il ne faisait pas partie de notre vie. Le premier souvenir que j'aie de lui date de l'époque où nous avons emménagé dans la maison où j'ai passé la plus grande partie de mon enfance : c'est le verrou qu'il a installé sur la porte de ce qui allait devenir son studio. Il vivait à un rythme différent du nôtre, et si, d'aventure, nous arrivions à le convaincre de participer à la vie de famille – assister à une pièce de théâtre scolaire, par exemple –, il se débrouillait toujours pour arriver en retard. J'ai quelques bons souvenirs, mais ils sont si rares qu'ils sont étranges et particulièrement vifs.

L'avantage, c'est que cette présence était telle qu'il n'y avait pas d'espace nous permettant, à moi et à ma sœur, de construire une image idéalisée du père. Il était là, simplement, dans son studio, empêchant la construction de cette image fantasmatique. C'est à l'école primaire que j'ai découvert que mes petits camarades avaient des pères différents. Je me souviens d'avoir échafaudé un programme très strict de « leçons pour papa », mais voyant qu'il ne faisait aucun progrès, j'ai fini par lui mimer une lobotomie. J'ai abandonné et je suis revenue à ma vie de petite fille de six ans.

Faut-il que je le tienne pour responsable de mon incapacité à entretenir une liaison sérieuse depuis l'université ? C'est possible, mais ce serait une façon de me défausser. Après tout, ma sœur a une vie sentimentale qui n'a rien à voir avec la mienne. En fait, ma mère a joué le rôle des deux parents, et nous n'avions pas l'impression de manquer de qui que ce soit. La seule chose que je peux dire, c'est que le fait de ne pas avoir de vrai père est sûrement un handicap dès que je suis confrontée à un regard masculin.

Il n'y pas très longtemps, j'ai interviewé la féministe Germaine Greer, qui, au détour d'une phrase, a mentionné l'intelligence des femmes italiennes face au regard des hommes. Elles l'acceptent comme un dû ; elles ne se croient pas obligées d'en dépendre à tout instant. Pour nous, les Anglaises, ce regard est plus rare, et si nous ne grandissons pas avec il peut devenir une drogue troublante. Je me souviens très bien de l'instant précis où j'en ai pris conscience.

C'était au cours d'un voyage scolaire où nous logions dans un manoir de campagne. Nous avons passé là deux ou trois jours à nous livrer à une foule d'activités de plein air, genre exercices d'orientation et course d'obstacles. Il y avait sûrement une heure réglementaire pour le coucher, mais après le dîner nous avions le droit de traîner autour des distributeurs automatiques et des cibles de jeux de fléchettes.

Je me revois un soir avec une fille en train de regarder deux garçons qui jouaient au ping-pong. J'ai oublié leurs visages et leurs noms. Je me souviens simplement d'avoir ri un peu trop fort après une remarque de l'un d'eux, plus par nervosité que parce que la blague était subtile. Soudain, le regard du garçon s'est fixé sur moi. Moi qui cherchais à me fondre dans la masse, j'ai été mortifiée, mais j'ai senti une onde qui ressemblait à un sentiment de pouvoir. J'ai compris que les garçons ne se moquaient pas de moi. Au contraire, c'est comme s'ils me remarquaient pour la première fois. Plus tôt dans la journée, je m'étais déjà surprise en acceptant de diriger notre équipe de cours d'orientation. Ce soir-là, je rayonnais intérieurement, car c'était comme si j'avais trouvé une boussole, à défaut d'une carte.

Tous ces souvenirs défilent dans mon esprit tandis que mon avion entame sa descente sur Londres, jetant sur cette quête effrénée d'attention masculine une lumière troublante.

Aurais-je couché avec un des garçons si j'avais pu ? Sans doute, mais, aux prises avec le drame qui aurait suivi, je n'aurais sûrement pas remarqué cette avidité qui gisait au fond de moi. Car il y a en moi une insatiabilité, un appétit sans fin pour la reconnaissance des hommes. Un besoin qui me donne le vertige, à tel point que je perds complètement de vue ce qui me ferait du bien. De même, je perds toute capacité à distinguer chez eux ce qui est sincère de ce qui est tactique. Si je veux vraiment que ma chasteté ait un sens, il faut que je me sèvre d'un certain type d'attention masculine. Le temps que l'hôtesse de l'air arrive avec le plateau du petit déjeuner, j'ai les yeux rouges et gonflés à cause de mes pleurs et du manque de sommeil, mais je viens de renouveler mon vœu.

À l'aéroport m'attend mon premier test : Jake, toujours ponctuel. Enfin, pas Jake lui-même, mais un rendez-vous avec lui pour aller au cinéma. Faut-il que j'annule ? Je suis tellement crevée, et en même temps excitée par ce que j'ai découvert en avion, que je me dis que c'est bon, je peux affronter ce nouveau défi.

Le décalage horaire m'aide, car il jette un voile d'irréalité sur tout, même sur ce film d'horreur, adapté du bouquin d'un copain de Jake. Trop épuisée pour fermer les yeux ou les détourner, je regarde tout, y compris les passages les plus atroces. Y compris le moment où le personnage principal se cache derrière une porte et écoute sa femme qui frappe en hurlant pour rentrer parce que des petits monstres porteurs de virus mortels essaient de la bouffer. Qui voudrait d'un pareil mari ? me demandé-je. Et Jake, serait-il capable de faire ça ? Discrètement, je jette un œil sur lui : il n'a pas l'air très rassurant.

Quand nous sortons du cinéma, il fait nettement plus frais. Vite, nous nous engouffrons dans un restau au fond d'une allée en plein Soho. Jake reçoit des appels de l'étranger et ne cesse de plonger pour répondre sur son portable. Entre-temps, nous discutons, et je me surprends en train de lui annoncer quelque chose dont je ne vous ai pas encore informé : j'ai décidé d'aller passer trois mois à New York.

L'idée me trotte dans la tête depuis des années. Qui n'a jamais eu envie d'aller vivre à New York ? À vrai dire, au début, la ville ne m'attirait guère, mais peu à peu je me suis attachée à ce qu'elle a de plus banal, son côté solide. C'est vrai, les gens y marchent vite, très vite, comme moi, mais il y a des éléments inamovibles. La titraille du *New York Times*, par exemple. Les galoches que les gens portent quand il pleut. La ville a beau souffler, siffler, hurler à rendre dingue, les trottoirs ont beau être dans un tel état d'abandon qu'on a l'impression que de jeunes arbres pourraient pousser entre les pierres, pourtant, ça le fait, et ça le fait particulièrement pour une fille célibataire comme moi. New York fournit tout ce qu'il faut pour se consoler.

Cette brève absence de Londres m'a permis de prendre la mesure des changements en moi. Entre autres, je sens que Londres est devenue trop exiguë, un mouchoir de poche cerné par des ourlets précis : mes parcs et mes salons de thé préférés. J'ai besoin de m'éloigner un moment pour reconfigurer le tout, et New York me paraît la ville idéale. Comme l'écrit E. B. White dans *La Toile de Charlotte* : « On a toujours l'impression qu'en changeant de lieu, ne fût-ce qu'une dizaine de pâtés de maison plus loin, ou en réduisant sa fortune personnelle de cinq dollars, on vivra une cure de jouvence. » New York est une ville que j'adore, et si ma chasteté ne m'amène pas à rencontrer un homme que j'aime et qui m'aime, peut-être m'amènera-t-elle ailleurs, là où ma vraie quête commencera.

J'emballe quelques bouquins, je préviens la propriétaire de mon appartement, et quand je reviens tout va mieux. Enfin, dernier avantage de ce projet, assis à côté de moi en ce moment même : Jake.

Je sais donc très bien ce que je fais quand je lui annonce mon déménagement. J'avoue que j'aurais éprouvé une certaine satisfaction à apercevoir sur son visage un éclair de… je ne sais pas… surprise, à défaut de regret. Peu après, il m'accompagne jusqu'à l'arrêt de bus. Le bus arrive, je monte, et je ne me retourne pas.

Il existe partout dans le monde de vieilles traditions qui encouragent les hommes à renoncer à faire l'amour pour préserver leur semence. Aujourd'hui, ces traditions sont un objet d'étude obsessionnel chez beaucoup, du philosophe à l'entraîneur sportif. L'amour a toujours été plus risqué pour les femmes : pendant des siècles, la grossesse donnait autant la vie qu'elle l'enlevait, et la stigmatisation liée à l'illégitimité pouvait mener à la ruine. Néanmoins, ce sont les hommes que l'on a le plus souvent mis en garde pour des raisons médicales.

Hippocrate, par exemple, pensait que les femmes avaient besoin de sperme pour l'épanouissement de leur utérus. Les symptômes des femmes dites « hystériques » étaient dus, selon lui, à leur utérus malheureux qui réclamait qu'on le baise. En même temps, il recommandait aux hommes de protéger leur réserve de sperme, substance essentielle de la vitalité masculine.

L'hindouisme a un courant de pensée qui associe cette protection à l'épanouissement non seulement physique, mais spirituel et moral. Elizabeth Abbott écrit ainsi, dans son *Histoire universelle de la chasteté et du célibat* : « Dans nulle religion autant que dans l'hindouisme et les différentes traditions religieuses qui s'y attachent le pouvoir du sperme est autant respecté. Le liquide séminal est considéré comme l'essence de la vie. » Elle explique ensuite que dans les Upanishad, un des textes fondateurs de l'hindouisme, la perte de sperme est l'objet d'un véritable deuil, comme la mort. Le même texte explique que les rapports sexuels non seulement affaiblissent le corps, mais raccourcissent la durée de vie, car le nombre de respirations dont chacun a besoin pour vivre sa vie est fixé dès la naissance. Les halètements de la jouissance diminuent ce nombre.

À l'époque victorienne, économe s'il en est, l'abstinence était associée à l'assiduité au travail et au profit. Dans la Grèce ancienne, les athlètes professionnels, comme les footballeurs d'aujourd'hui, se voyaient recommander d'éviter les rapports sexuels.

Mais, pour les femmes, quelle est la récompense ? La sexualité féminine demeure une énigme. Pour des raisons purement anatomiques, les signes d'excitation et de plaisir de la femme sont comme le sourire du Sphynx comparés à l'érection et à l'éjaculation. « La grande question à laquelle je n'ai jamais été en mesure de répondre malgré mes trente années de recherche sur l'âme féminine est : "Qu'est-ce qu'une femme veut ?" » avouait Freud. Un siècle plus tard, les recherches continuent, produisant des pages et des pages dans les revues les plus respectées de la communauté scientifique et de celle des psychanalystes.

En se privant de sexe, les femmes sont-elles certaines de récolter un pouvoir accru ? Et, si oui, comment se manifeste-t-il ? Vu la peur, codifiée et canalisée, de la sexualité féminine qui a cours depuis des siècles, il s'agit sûrement d'une force qui inspire crainte et tremblement.

C'est un détail, mais je suis sûre que, sans mon vœu, je n'aurais jamais eu le courage d'aller vivre outre-Atlantique. « Cette détermination… ça ne te ressemble pas beaucoup, commente un collègue au déjeuner avec un regard inquiet. Tu n'as quand même pas été lire des bouquins de développement personnel ? »

Tout va très vite. J'ai donné mon préavis à ma propriétaire, j'ai organisé les choses avec les rédacteurs au journal. Je cherche un garde-meuble à Londres et un appart à louer à New York. Autour de moi, le démontage a commencé : au début, ça touche des choses intangibles, l'impression de stabilité par exemple, puis très concrètes : les étagères, les placards, les piles de bouquins qui traînent sur ma table basse depuis si longtemps qu'ils portent la marque du soleil.

À ce moment-là, j'accepte une invitation d'un ami scénariste, Dave, pour aller à Cannes, où il s'est installé pour réécrire plusieurs scénarios. J'ai beaucoup d'amis hommes, et pour la première fois je me demande si c'est un signe. En tout cas, mon amitié avec Dave est sans ambiguïté, même si j'ai un problème avec le regard des hommes. Dave est marié avec une femme archiglamour, drôle, qui manie très bien l'humour (et l'épée, puisqu'elle pratique l'escrime à ses heures perdues). C'est une banquière très qualifiée sur le point de conclure un accord épineux ; du coup, son mari se sent un peu esseulé à Cannes et il a besoin de parler en anglais avec quelqu'un !

Je passe deux jours assise sur le balcon ensoleillé de leur appartement à lire, écrire et réfléchir à la vie chaotique que j'ai laissée derrière moi à Londres. Le soir, nous buvons des vins rouges fabuleux achetés au supermarché du coin et nous régalons de beignets de fleurs de courgette. Les scénarios sur lesquels Dave travaille sont des histoires de cul, et un soir, assis autour d'une petite table de restaurant sur le trottoir, nous en parlons, et de plus en plus passionnément.

– Et Simone de Beauvoir, tu en fais quoi ? je lui lance.

– C'est du bla-bla. Je te rappelle qu'elle a passé sa vie à pleurer à cause de Sartre, et quand ce n'était pas lui, c'était un autre, répond Dave en riant.

Nous avons beau être au pays des féministes les plus sérieuses, nous ne prenons pas tellement les choses au sérieux. Quand même, depuis quelques mois, la question me taraude. Pas tant le mythe de la femme française ni le personnage de Simone de Beauvoir que la question même du féminisme.

Beaucoup de ce que j'ai appris au cours de ces mois de chasteté va à l'encontre des théories féministes telles que nous nous les représentons. Par exemple, l'idée qu'il est plus glorieux d'être courtisée que de courtiser. Ou le préjugé selon lequel, pour les femmes, le sexe est une arme, un moyen d'échange, une récompense à offrir contre les compliments, l'engagement. Tout cela repose sur l'idée qu'il existe des différences fondamentales entre la façon dont les hommes et les femmes vivent le sexe, mais cette idée est elle-même devenue taboue.

D'un certain point de vue, l'égalité entre les genres ressemble à tout sauf à l'égalité. Nous avons obtenu le droit de travailler et de nous amuser au même titre que les hommes, mais ces petites victoires, remises en question par bien des mamans qui travaillent, demeurent circonscrites au monde occidental. Que dire de nos consœurs d'Afrique ou du Moyen-Orient ?

Il y a peu de temps, j'ai vécu quelques mois à Paris. J'étais curieuse de voir à l'œuvre le pouvoir érotique de la femme française. Comment faisait-elle pour arriver à préserver cette image si stéréotypée ? J'avais un ami français, un avocat d'une trentaine d'années qui avait vécu, et dragué, à Londres, et qui pourrait m'aider à résoudre l'énigme, me disais-je. Une Anglaise, m'expliqua-t-il sans ambages, tu n'as pas besoin d'imaginer le plaisir d'une nuit avec elle. Ses attraits sont évidents, visibles et, en plus, pas si irrésistibles que ça. « Qui a envie de coucher avec une sirène ivre morte ? » ajouta-t-il avec un sourire prouvant que les mâles gaulois cherchent à séduire même quand ils sont injurieux.

Nous n'avons rien compris à l'art de la séduction, poursuivit-il. Les Françaises, elles, le revendiquent avec fierté. Nous, de l'autre côté de la Manche, nous buvons un verre ou carrément une bouteille, et qui vivra, verra. La séduction est un strip-tease physique et psychique dont la force réside dans ce qui demeure caché. Tout est dans l'art de retenir un petit quelque chose, le plus longtemps possible, avant de révéler la totale. Même la lingerie la plus ringarde et la plus vulgaire est la promesse d'un petit plaisir – un mamelon, par exemple. Les feuilles de vigne d'Adam et Ève, si sages, sont ce qui évoque la pomme juteuse qui nous attend. La nudité intégrale est rarement érotique, la moindre victime d'un séjour dans un camp naturiste vous le confirmera.

Autre point sur lequel les Français sont très libres : la distinction homme-femme. Est-ce parce qu'elle est inscrite dans leur grammaire ? En anglais, les noms sont dépourvus de sexe, mais la répartition des rôles est largement inscrite dans notre vocabulaire amoureux, et elle nous rend inconsciemment méfiants.

N'est-ce pas à ce propos que Katherine Hepburn et Spencer Tracy, avocats, mari et femme, se crêpent le chignon dans *Madame porte la culotte* ? « Vive la différence ! » déclare avec enthousiasme Adam-Tracy quand il se réconcilie avec Ève-Hepburn à la fin du film. « C'est-à-dire ? » demande-t-elle. On se doute qu'elle connaît la réponse, mais elle a besoin de le tester. « C'est-à-dire : que cette petite différence survive à jamais », répond-il.

Entre-temps, les sentiments et le désir sont toujours là pour rappeler aux féministes que cette différence existe bel et bien. Pour elles, c'est une chausse-trappe permanente qui ne cesse de contredire leurs théories, dont le raisonnement est irréprochable. Eh oui ! même Simone tombait régulièrement amoureuse. Quant à la féministe Lynne Segal, elle avoue dans ses Mémoires que le fantasme d'être renversée par un homme est difficile à accorder avec les positions qu'elle soutient. Plus loin, elle raconte l'histoire d'une femme qui fut tellement excitée par les images qu'elle découvrit au cours d'une projection antiporno qu'elle devint lesbienne. « Le désir refuse obstinément d'obéir aux règles de principe, et surtout à nos règles à nous », conclut-elle.

À peine débarquée de l'avion qui vient de Nice, le temps froid et humide me fait atterrir, et aussitôt on m'envoie couvrir un festival de musique à l'ouest de l'Angleterre. Après cet étrange flash sur ma vie future à New York et cet interlude ensoleillé sur la Côte d'Azur, mon cher pays me semble bien froid, mais le printemps a quand même fini par éclore. Est-ce parce qu'il est si tardif qu'il est si luxuriant ? Même la ville de Londres est noyée sous la verdure. Les bourgeons explosent, les chiens courent dans le Common, les pigeons roucoulent en bombant la poitrine et en sautillant sans vergogne sur le toit en face de mon bureau.

Bientôt, je file prendre mon train ; plus je m'éloigne de la ville, plus le paysage est verdoyant. La nature exulte. Un seul mot pour le dire : fertilité.

N, un des musiciens invités au festival, m'a proposé de loger chez son oncle pour le week-end, non loin de là où ont lieu les concerts. Je suis ravie, car l'année précédente j'avais été obligée de camper. Nous arrivons à Swindon, quand le malaise éventuel de la situation me vient à l'esprit. Sa proposition pourrait être interprétée comme une invitation à une tentative d'approche, non ? Impossible, ça risque de virer au cauchemar. Le train poursuit sa route et une fine bruine se met à tomber qui ne semble là que pour dire qu'elle ne mène nulle part.

Changement de train à Bath, avant de m'enfoncer dans la campagne profonde. N doit m'attendre à la gare suivante. À peine ai-je posé le pied sur le quai que je le reconnais, appuyé contre la carrosserie d'une voiture pleine de boue. Il porte une curieuse chemise à carreaux, des lunettes noires – moitié péquenot, moitié rock-star – et agite une main hésitante, comme si lui, ou moi, était un mirage. « À présent, ta vie est entre mes mains », m'annonce-t-il en haussant légèrement les épaules.

Quarante minutes plus tard, nous nous garons dans une allée de gravier menant à un presbytère de style géorgien qui a fière allure. De toute évidence, N a eu les mêmes angoisses que moi. Prudent, il a invité un autre copain, joueur de banjo, lequel doit arriver dans l'après-midi. Nous dormirons tous les trois dans les anciennes écuries, m'explique N.

Le déjeuner est chaotique et sympathique, animé par une meute de vieux épagneuls trop agités pour que je puisse les compter. En attendant l'arrivée du joueur de banjo, N m'emmène faire le tour du hameau. J'emprunte de grandes bottes en caoutchouc, grimpe au-dessus d'un tourniquet, et nous descendons dans un grand pré trempé au fond duquel coule un ruisseau. J'ai beau avoir grandi à la campagne, je cache mes racines rurales avec une telle détermination que la plupart des gens pensent que je suis née à Londres. Me voyant parfaitement à l'aise dans ces grandes bottes, N me jette un regard surpris, réajustant sans doute l'image qu'il avait de moi jusqu'ici.

Nous nous penchons au-dessus du petit pont qui enjambe le ruisseau quand deux oiseaux ravissants s'approchent. Les collines alentour sont tellement hautes que partout où mon regard se pose c'est un immense aplat de verdure, interrompu çà et là par les taches blanches des agneaux. Toute la nature nous hurle de retirer nos bottes, d'arracher nos pulls de laine et de nous précipiter sur le sol pour forniquer là, sur place, sur les berges boueuses du ruisseau. Soudain, un cri retentit du côté de l'allée : sauvée par le joueur de banjo !

Le soir même, il y a une immense fiesta au presbytère. Les gens ont en moyenne une vingtaine d'années de plus que nous, et nous avons l'impression d'être des gamins, même si nous sommes sur notre trente et un. N porte un costume en moleskine jaune safran, moi, mes hauts talons rouges qui s'enfoncent dans le gazon, et le joueur de banjo, une chemise style Nehru : avec ses cheveux en brosse, on dirait un gourou new age. Pendant qu'il parle ukulélés avec un vieux hippie aux cheveux noir corbeau, N me fait signe d'entrer dans la cuisine où des femmes du village servent du ragoût d'agneau. Il attrape deux assiettes, remplit deux gobelets de vin et m'entraîne dans le crépuscule…

Crépuscule mouillé et frisquet.

Nous dînons assis à une table de pique-nique protégée par des parapluies. Réchauffée par la délicatesse de N qui m'a gentiment posé sa veste sur les épaules, je suis bien. De nouveaux invités arrivent, les moutons bêlent sur le flanc des collines. La pluie crépite au-dessus de nos têtes, mais nous levons nos verres pour trinquer : pas mal, pour un premier dîner !

De retour dans les écuries reconverties, j'ai droit à la seule vraie chambre : avec sa couette douillette, ses murs tapissés de livres de poche et son parfum boisé, j'ai l'impression que c'est celle de N. Le joueur de banjo dort dans l'entrée, et N s'est calé dans un coin entre la porte et la chaudière. Je m'endors, légèrement coupable en voyant tout l'espace vide dans mon lit.

Il pleut quasiment tout le week-end, et, le samedi, c'est un vrai déluge. Le site où a lieu le festival est trempé, boueux, et je patauge dans la gadoue avec mes grandes bottes en caoutchouc. Le soir, nous nous retrouvons pour finir le ragoût d'agneau. N et moi, nous nous sentons de mieux en mieux ensemble. Dans la journée, il m'a préparé du thé et des toasts et m'a emmenée pour une balade dans les champs détrempés, se moquant de moi en voyant mon aversion pour cette vie à la campagne. Pas un baiser n'a été échangé, mais je me sens plus proche de lui que de la plupart des hommes avec qui j'ai couché. Cela dit, est-ce que je m'imagine avec lui ? La réponse est non, même si je ne cesse de m'interroger.

Après le dîner, nous prenons la voiture pour rejoindre une grande fête branchée et un peu surréaliste, avec champagne, fruits de mer et strip-tease tendance, le tout sous une grande tente au milieu d'un pré. N tourne autour de moi toute la soirée, et vice-versa, jusqu'au moment où la musique retentit. Il se précipite sur la piste de danse et se trémousse d'une façon telle que ni moi ni ma collègue, Caitlin, que j'ai repérée en train de bouder près des homards, ne savons qu'en faire : est-ce une invitation à le rejoindre ou à lui ficher la paix ?

– C'est ton nouveau jules ? me demande Caitlin avec une certaine admiration.

– Pas du tout, c'est juste un copain. Je loge chez lui.

Peu après, je le vois flirter avec une fille en pantalon de cuir, et je m'approche pour le surveiller comme si c'était effectivement mon jules…

Assis à côté de moi au moment de rentrer au presbytère, il tapote sur l'ourlet de ma jupe pour me retirer une poussière : sa main frôle mes genoux, se pose un instant… Je ne bouge pas. Il la retire. Je lève les yeux sur lui et lui offre mon plus beau sourire au milieu de l'obscurité. Merci pour tous ces gestes délicats, d'un autre temps, en échange desquels il ne me demande rien.

Le temps d'arriver aux écuries, l'aube n'est pas loin de pointer. La pluie s'est calmée, et nous nous allongeons tous les trois dans l'obscurité qui faiblit, les oreilles encore assourdies par la musique et les pieds en compote. Le joueur de banjo s'endort très vite, et N et moi bavardons de New York.

– Pourquoi est-ce que tu ne t'y installes pas carrément ? Pourquoi s'emmerder avec toutes ces démarches et ce déménagement pour quelques mois à peine ? me demande-t-il.

– Oh ! c'est surtout le problème du visa, toutes ces formalités casse-pieds.

Derrière la fenêtre, un jour détrempé se lève au-dessus de la campagne endormie, illuminant peu à peu les champs vert pâle noyés sous la brume.

– Le visa…, répète-t-il d'un air songeur. Tu sais que j'ai une carte verte ? Ça équivaut quasiment à un passeport, pour les États-Unis. Tu veux que je t'épouse ?

– Oh ! Remarque… D'accord !

– Eh ben, dites donc, commente le joueur de banjo, qui ne dormait pas le moins du monde.

D'accord, c'était une plaisanterie, mais il aura fallu que je fasse vœu de chasteté pour que l'on me demande en mariage pour la première fois de ma vie. C'est un sacré progrès, non ? Les auteurs de manuels d'abstinence seraient trop fiers de moi !

Le lendemain, N me raccompagne à la gare, et je suis à deux doigts de lui avouer mon vœu.

– Cette année, j'ai décidé de chambouler ma vie, dis-je brusquement.

– Pour moi aussi, c'est l'année de tous les changements.

Ni lui ni moi n'épiloguons, muets côte à côte tandis que les collines défilent derrière les vitres de la voiture. Peu après, il me raconte l'histoire d'un des amis de son frère venu passer quelques jours au presbytère quelques années plus tôt.

– Je l'ai raccompagné à la gare, comme toi, et sa vie a basculé sur le quai. Ç'a été une vraie révélation. Le lendemain, il est retourné à la City et a annoncé à ses collègues qu'il arrêtait tout, et il s'est acheté une grande ferme laitière.

Aujourd'hui, il fabrique des fromages artisanaux, je crois même qu'il a remporté des concours.

Je rate mon train à quelques minutes près.

– Je t'avais prévenue, c'est la gare des miracles, commente N en me tendant mon sac de voyage.

Un bref baiser sur la joue, et hop, il tourne les talons et disparaît. Patiemment, je fais les cent pas sur le quai désert en réfléchissant aux sentiments que m'inspire N. Attends, ma fille, des sentiments ? Maintenant qu'il a disparu, l'idée me paraît grotesque. Cela dit, avant de me planter sur le quai, il m'a quand même proposé de prendre un verre le jour où il passera à Londres en rentrant de New York. Quand ? il ne sait pas, puisque lui aussi est en pleine réflexion.

Le jour où j'ai fait vœu de chasteté, j'étais sûre d'une chose : j'en avais besoin, mais pourquoi ? je ne le savais pas très bien. Je pensais que c'était à cause de ma vie amoureuse, mais aujourd'hui j'ai conscience que ce sentiment d'insatisfaction était plus profond : c'est de tout un mode de vie que j'étais lasse. Pas une seconde je n'imaginais les bouleversements qui m'attendaient : échouer toute seule au fond de la cambrousse, tremblant sur un quai en attendant la révélation de ma vie.

Le train se fait attendre, et j'en ai assez d'espérer une révélation. Je rêve d'un chariot qui serve du thé ou, encore mieux, ces biscuits que j'adore, avec des raisins secs. Les cieux sont toujours aussi maussades, mais des rayons de soleil inattendus éclairent çà et là les collines et le paysage semble irréel. Sublime. À force de patienter sur le quai, je finis par m'apaiser. Un train finira bien par arriver, me dis-je, je ne suis pas aux pièces, même si je suis dans le trou du cul du monde. Il y a peu de réseau, les SMS ont du mal à arriver sur mon Blackberry, sans compter les mails, encore plus capricieux.

Ce serait donc ça, ma révélation ? Cette paix profonde que je sens se diffuser en moi parce je me retrouve coincée, obligée de rester sur place ? L'idée me ramène à N. Comment ce serait de vivre avec lui ? De m'installer avec lui ? Enfin, le train arrive. Je monte, je m'assieds et jette un dernier coup d'œil sur la gare au moment où le train démarre. C'est alors que je le vois : un immense panneau publicitaire pour des voyages à New York, ici, au fin fond de la campagne assoupie.

Je passe tout le reste du mois de juin à finir de préparer mon départ… J'ai rempli une pièce entière de cartons soigneusement scotchés et accompagnés de la liste des objets que chacun contient. Des affaires banales, mais qui me sont très précieuses : boulot, photos, musique. Étrangement, tout cela tient sur rien : une carte mémoire que j'ai accrochée à mon porte-clés.

À la fin du mois, le jour où je me retrouve dans l'aube délavée en tirant une valise rouge géante jusqu'au taxi, la seule clé qui tinte au bout de mon porte-clés est celle de mon garde-meuble. La circulation est encore fluide, et, au moment où nous filons sur une rocade aérienne, je jette un œil sur les rues qui mènent chez Jake. Le chauffeur écoute la radio, quand soudain s'élève une voix familière. C'est Erma Franklin qui implore une dernière fois son homme de prendre son cœur et de le lui fendre. Si c'était un roman, me dis-je… mais je m'arrête là parce que ce n'est pas un roman.

# 13

# *Juillet ou Miroir, mon beau miroir*

« La chasteté d'une femme se compose, comme un oignon, d'une série de pelures. »
Nathaniel Hawthorne

Comme si je n'étais pas assez lasse de l'examen de conscience auquel mon vœu m'oblige, la première chose sur laquelle je tombe en entrant dans l'appartement que j'ai loué, c'est mon reflet. Un miroir immense est accroché au-dessus d'une commode laquée couverte de cadres en argent exposant exclusivement les photos d'un chat noir avec un bavoir blanc et des socquettes.

Un saut au-dessus de l'Atlantique, et je suis métamorphosée en femme célibataire vivant à Manhattan et propriétaire d'un chat. Ou plutôt gardienne de chat, car la location comprend la bête en question, ce qui revient au même, vu les poils qui couvrent mes vêtements, signe immanquable de l'internationale des vieilles filles.

La chatte a pour nom Mme Butterfly, et, si les chats ont neuf vies, elle en est au moins à sa dixième. Sa fourrure est lisse et épaisse, mais elle est maigre comme un coucou et sa queue est toute tordue. Ses mouvements, loin d'évoquer la grâce et la souplesse de ses semblables, rappellent plutôt ceux d'un oiseau – petites torsions hésitantes au ras du sol d'une créature habituée à évoluer dans un autre élément. En regardant bien, on voit qu'elle a pris l'habitude de s'orienter grâce à ses moustaches. Car elle est aveugle. Et sourde, d'où les miaulements à vous glacer le sang qui m'ont réveillée à l'aube de ma première journée à New York. Le hurlement du chien des Baskerville version féline.

Mme Butterfly m'a été confiée avec des instructions très précises. Elle est censée rester avec moi trois semaines, ensuite, la propriétaire doit rentrer de croisière et l'emmener avec elle au nord de l'État de New York. Trois semaines, c'est long, quand on a l'équivalent de cent deux ans et que dehors le thermomètre grimpe à trente degrés. S'il arrive « quoi que ce soit », on me demande d'enrouler son petit corps osseux dans une serviette et de le déposer dans le congélateur. Lequel est dans la cuisine, incorporé au-dessus du frigo, et non séparé et planqué dans la cave ou le garage. Si je comprends bien, la chatte serait donc remisée à côté des glaçons et des yaourts maigres glacés. Chaque fois que Mme Butterfly et moi nous croisons dans la cuisine, je ne peux m'empêcher d'évaluer sa taille en m'interrogeant : j'en serais capable ? Sinon, qui serait assez fou dans cette ville pour relever un défi aussi morbide ?

Le fameux N, que je n'ai pas revu depuis qu'il m'a larguée sur le quai de la gare des miracles, a réussi à retrouver ma trace, et, après avoir échangé plusieurs mails, nous nous sommes donné rendez-vous pour dîner *downtown*. C'est ce qu'on appelle un rendez-vous galant, paraît-il. J'arrive, mais N n'est pas là. Tant pis, au moins, je suis à l'abri de la chaleur lourde et moite, exactement le temps contre lequel on m'avait mise en garde. Dès que je quitte mon appartement climatisé, j'ai l'impression d'entrer dans un sauna.

Je traîne au bout du bar du restaurant italien. Les serveurs sont rapides, bavards et un peu dragueurs, mais, au moment où je commence à jouer le jeu, je reconnais la silhouette de N entrant tranquillement. Je suis surprise de voir à quel point son accent anglais me paraît étrange. En même temps, cette symphonie de voyelles glissando et de *t* mouillés nous rapproche. Il passe la commande, généreuse, et bientôt la table déborde de pizzas, de pain et de pâtes, tout ce qu'il y a de meilleur, et de mortel. Ça aussi nous rapproche. C'est la première fois que je le vois dans son pays d'adoption, et, au fil des plats qui vont et viennent, je réfléchis à ce qui a changé en étant à New York. D'abord, le fait que nous soyons capables d'avoir une vraie conversation.

– Alors, comment ça va ? je lui demande.

Il ne se contente pas de me répondre « pas mal », mais, contre toute attente, il me confie qu'il n'est pas très heureux, il a déjà envie de partir, peut-être de retourner à Austin, dans le Texas, ou carrément en Angleterre. Il aime bien ce presbytère, finalement, loin de tout. Ensuite, il me demande des nouvelles de moi, et je lui dis la vérité. Il m'écoute. Peut-être pas très heureux à New York, en tout cas, plus détendu. Il porte une chemise bleu clair qui sort tout droit de la blanchisserie et met en valeur le bleu vif de ses yeux.

En dépit de nos balades dans la campagne détrempée et du dîner sous les parapluies, un léger parfum de premier rendez-vous vibre dans l'air. Plus que ça, même, une certaine franchise, une candeur, qui rend l'atmosphère excitante. Rien de physique comme avec Jake, mais les effets sont les mêmes. Je sens que je me redresse sur ma chaise. Mon sourire est de plus en plus radieux, nos regards se croisent plus longuement.

Il est près de minuit quand nous quittons le restaurant, retrouvant l'atmosphère étouffante et dense de la nuit. Debout sur le trottoir, un peu mal à l'aise, nous échangeons les O.K.-d'accord-sympa-on-s'appelle convenus. Il est tellement grand que ça me donne un peu le vertige – ce qui explique peut-être que mon baiser atterrisse pile sur ses lèvres. Ou est-ce parce qu'il aurait bougé d'un quart de centimètre sur la gauche ? En tout cas, c'est agréable, et ce premier baiser se prolonge par un deuxième, puis un autre et encore un autre, comme si chaque baiser était une question appelant une réponse.

Ça m'est déjà arrivé d'embrasser un homme sur le trottoir. À vous aussi, j'en suis sûre, et, comme moi, vous ne savez pas toujours très bien comment ça se passe. Parfois, c'est parce que la tentation est trop forte, ou le malaise insoutenable. Ou parce que vous vous posez des questions, alors, pourquoi ne pas essayer pour voir ? Ou encore, en désespoir de cause, vous vous dites que ce baiser transformera peut-être la grenouille en prince. Mais moi, là, maintenant, qu'est-ce que je fais ?

– Tu as un petit faible pour moi, non ? me demande N tout de go.

Il doit redouter ma réponse, car aussitôt il remplit le silence de nouveaux mots que j'étouffe par un autre baiser, en montant sur la pointe des pieds. Là, sur la 20e Rue, juste en face de la maison où Teddy Roosevelt, un gamin qui collait des affiches pour défendre les damnés de la terre, commença la mue qui allait faire de lui le vingt-sixième président de la République des États-Unis… Mon amant le plus improbable et moi, nous nous embrassons avec fougue.

Mais quid de la question : est-ce que je l'aime ? Mon vœu m'a appris à être plus prudente face à ce que mon cœur, et mon corps, me dit. Pourvu que je ne devienne pas trop prudente ! Mais il faut que je laisse mûrir mes sentiments pour N, alors même que je lui trouve de plus en plus de qualités.

Un exemple. Après ce long baiser, il m'accompagne jusqu'à ce que je trouve un taxi. Il passe son bras autour de mes épaules et me serre contre lui. Soulagée, je m'appuie sur lui avec le sentiment d'être minuscule et de m'en remettre à quelqu'un de beaucoup plus grand. C'est tellement peu dans l'air du temps que j'avoue que je suis un tantinet mal à l'aise. En outre, ça me rappelle des photos que j'ai vues quelques jours plus tôt.

Des photos prises par Dave, un ami de ma sœur qui, apprenant que j'étais à New York, m'avait invitée à aller à un happening avec lui. C'était à Harlem, et sa Cadillac cabossée en était la vedette. Une ronde de spectateurs top branchés tournicotait tandis qu'une femme en salopette passait un énorme morceau de tube en plastique à travers les vitres d'une série de voitures en les alignant comme des grains de chapelet.

Une fois la Cadillac libérée de son rôle de jeune première, nous sommes rentrés à Manhattan en nous arrêtant chez Dave. Il avait un perroquet baptisé Fred Astaire qui sautillait entre les barreaux d'une cage fabriquée à partir de débris de la catastrophe du 11 septembre. La cuisine était aussi retapée de façon originale, et l'ensemble faisait très garçonnière, pensais-je, jusqu'au moment où j'ai vu les photos.

Des photos de poupées Barbie prises par lui, grandeur nature, qui travaillaient, jouaient ou s'échangeaient des coups de pied pour rire. Je me souviens particulièrement de l'une d'elles, un gros plan sur la main en plastique et le poignet fin d'une poupée posés sur un pouce qui paraissait géant.

Voilà à quoi je pensais au moment où N a fermé la portière du taxi avant de filer vers une bouche de métro.

Quelques jours plus tard, j'accompagne N à un dîner dans le Queens, et nous rentrons ensemble en taxi. Je lui propose de monter chez moi pour faire la connaissance de Mme Butterfly car je sais qu'il aime les chats. Il a beau la caresser gentiment, elle ne réagit pas beaucoup. (Quelqu'un m'a dit un jour que la façon dont un homme caressait un chat était révélatrice.)

Nous nous installons sur le canapé pour siroter un petit whisky à deux. N s'étire en soupirant… Des gouttes de transpiration perlent sur son front et il se racle la gorge avant d'avouer :

– Je ne sais plus trop comment la jouer, cette fois-ci.

– Cette fois-ci ?

– Oui, avec toi.

– La jouer ?

Je vous ai dit que la conversation entre nous était plus facile à New York ? Hum… à présent, j'ai des doutes.

– J'aimerais bien qu'on arrive à dépasser ce malaise.

Je réfléchis. « Dépasser ce malaise », en général, ça veut dire passer au lit. Baiser est un raccourci idéal vers l'intimité, mais une intimité obtenue ainsi ne dure jamais, si j'en crois mon expérience. Je fais tout ce que je peux pour réengager la conversation, il faut absolument qu'on parle, mais trop tard, il m'embrasse… En dépit de l'air conditionné, il fait si chaud qu'il transpire à grosses gouttes. Je viens de découvrir un nouveau moyen génial pour rompre la glace…

Il se dégage de cette embrassade confuse et se redresse, un peu plus détendu. Il me prend par la main et m'entraîne du côté de la chambre.

– Je ne sais pas…, bafouillé-je tandis qu'il m'attire vers le lit. J'aime pas trop le… chat. Ça ne me dit pas trop, ajoutai-je en indiquant Mme Butterfly qui dort, blottie sur le lit.

Il s'arrête, observe Mme Butterfly, lui, l'amoureux des chats, et hausse les épaules en lâchant :

– Elle est sourde et aveugle… on s'en fout.

Il fait le tour du lit en l'évitant soigneusement, et je m'allonge de l'autre côté. Un long silence suit. Nous nous regardons droit dans les yeux – curieux, sérieux, chacun jaugeant l'autre.

– Il vaut mieux que j'y aille. Tu vois ce que je veux dire ?

L'enchantement de ses yeux bleus est rompu. Il se lève et quitte l'appartement à pas feutrés. Le malaise s'est évanoui et lui avec. « Tu vois ce que je veux dire ? » Je jette un œil sur Mme Butterfly au cas où elle aurait la réponse. Ses oreilles remuent vaguement, mais elle a l'air perplexe.

L'explication met quelques jours à arriver. Nous avons rendez-vous pour boire un verre après le boulot, mais je suis affreusement en retard ; je cours après le temps et, au sens propre, malgré la chaleur. Pour peu qu'on soit d'humeur à le voir, New York est une ville où tout s'élève en permanence. Un éternel chantier de construction : les bureaux, les hôtels, les copropriétés de milliardaires. On passe la moitié de son temps à marcher sous des échafaudages. Inversement, pour qui est d'humeur maussade, tout s'écroule en permanence. Car les mêmes ouvriers passent leur temps à démolir, les trottoirs sont fissurés, le goudron fond. Ce soir-là, la confusion dans les rues est encore pire car une canalisation a explosé dans le métro vingt-quatre heures plus tôt, provoquant un rugissement de vapeur et de boue près de la gare de Grand Central, à deux pas de l'endroit où j'ai rendez-vous.

Je sors d'une longue journée de travail et j'ai la vue tellement brouillée par ces heures passées devant mon ordinateur que je parviens à peine à cligner des yeux. J'arrive devant le bar, fonce à travers les portes tambour, et ne vois pas N, caché dans un coin derrière une plante. Il m'appelle, je me retourne, il approche un fauteuil et me commande un Martini.

En l'observant attentivement, je découvre que j'ai face à moi l'exacte antithèse de Jake. Ce dernier est si lisse et soyeux que je glisse littéralement sur lui ; N, lui, est presque poreux. Non seulement il étouffe de chaleur quand il fait chaud, mais il m'absorbe tout entière. Il sent tout ce que je sens, même mes doutes à propos de nous deux. Justement, je lui dois une explication là-dessus ; et une explication sur mon vœu.

Chaque fois que j'essaie de raconter l'histoire de mon vœu, en hurlant pour couvrir le vacarme dans une soirée, en en livrant des bribes pour des amis, ou en l'abrégeant devant des amants potentiels, je finis par m'emmêler les pinceaux. Je déplace un peu le sujet. Ou je fais comme si c'était sans conséquences, la vie en rose ! Et je rougis. Mais cette fois-ci c'est différent, et ça me surprend, mais pas autant que la réaction de N. Il n'éclate pas de rire. Ne recule pas. Non, il commande deux nouveaux Martini et me raconte son histoire à lui.

Il avait trente ans et des poussières, cet âge où les années de fac commencent à s'éloigner dans un brouillard de nostalgie, et un jour il s'est dit que quelque chose n'allait pas dans sa vie. Pourtant, il avait tout pour lui : beau gosse aux yeux bleus, un charme fou, original, plus british que moi, tu meurs, sans compter le prestige de son statut de rocker, et un défilé de créatures de rêve, dont certaines étaient prêtes à lui offrir leur cœur, outre leur corps parfaitement entretenu et immaculé. Sauf qu'il s'ennuyait, et au début de l'année, m'avoue-t-il, il a décidé de tout arrêter, de prendre du recul et de réfléchir, et, si nécessaire, d'attendre qu'un événement plus significatif arrive. Il ne prononce pas le mot « chaste », mais, quand c'est moi qui le prononce, il ne bronche pas.

– Toi et moi, ajoute-t-il, on est plus qu'amis, tu es d'accord ?

Après plus de dix ans de liaisons foireuses, alors que je rêvais de mettre un mot sur tout ça, pour une fois, la chance m'est offerte, mais j'en suis incapable. Et plus j'y pense, plus je suis réfractaire à l'idée. Cette année de chasteté m'a beaucoup appris sur les relations amoureuses, mais elle m'a aussi appris à apprécier la solitude. Moi qui pensais que je n'étais pas faite pour cela, je mesure toute l'énergie que j'ai perdue à courir après… je ne sais pas quoi, des idées, et… des mecs. Dépourvues de sexe, mes relations sont à la fois moins compliquées et plus complexes. Je ne suis pas sûre d'être prête à sacrifier ça.

Ma vie à New York est, en apparence, une course de vitesse permanente. Je bondis d'un endroit à un autre, esclave d'un emploi du temps qui commence à 6 heures du matin, pour être à l'heure de l'Angleterre, et s'achève tard dans la nuit. Seule l'exiguïté de Manhattan permet d'avoir des journées aussi longues.

Tôt le matin ou en pleine nuit, j'en profite pour observer la face cachée de la ville : le chariot du vendeur de fruits qui apparaît dès 3 heures et disparaît miraculeusement à l'heure de pointe, ou, quelques heures plus tard, une fille en tenue de soirée, avec une superbe chevelure blonde, qui remonte Lexington Avenue en tongs, un grand sourire aux lèvres, tandis que les jolis rubans de ses escarpins ondulent au bout de sa main.

Ce genre de fille me rend mélancolique. J'ai beau adorer le tourbillon de New York, si je devais y rester plus longtemps, je ferais tout pour l'éviter. Passer trois mois dans une ville étrangère est une expérience qui se vit au temps présent, je joue le jeu à fond, mais je suis moins emballée que si j'avais tenté le coup l'année dernière, ou dix ans plus tôt, quand j'avais l'âge de cette fille – une vingtaine d'années et toute la vie devant moi.

Mon vœu de chasteté m'a apporté un vrai soulagement, je me sens à la fois meilleure juge et moins impulsive. Ce n'est pas une question d'excès – je ne vous ai jamais caché ma folie du shopping digne de la pire pétasse branchée, ni mes soirées dignes d'une fille dans une émission de télé-réalité –, c'est plus une question de ton. Ce qui me rappelle une définition de la chasteté très permissive, élaborée par le philosophe écossais John MacMurray. En 1935, il savait que la grande majorité de ses lecteurs attendaient une condamnation pure et dure des rapports sexuels avant le mariage. Loin de répondre à leurs attentes, il mit au point une théorie subtile suivant laquelle « la chasteté est une forme de sincérité émotionnelle », dans un essai intitulé *Raison et Émotions*.

« Être honnête, c'est exprimer ce que l'on pense, être chaste, c'est exprimer ce que l'on sent », expliquait-il. Il s'agit d'être vrai avec soi-même et franc quant à ce que nous voulons. En aucun cas une règle imposée par autrui ne peut servir de substitut. Seule l'intégrité par rapport à ses émotions permet de distinguer le « désir partagé » d'un amour vrai, de ne pas être « déçu par soi-même face au désir ». MacMurray avait beau être quaker, plutôt que d'évoquer les flammes de l'enfer et la damnation, il élabora un scénario d'une modernité étonnante.

« Dans toute forme de plaisir, nous avons le choix entre aimer l'autre, ou nous aimer nous-même en instrumentalisant l'autre », prévient-il en distinguant l'amour de la luxure. Même partagée, la luxure à l'état pur ne mène à rien de bon. Deux personnes qui se précipitent au lit dans cet esprit « ne se rencontrent pas en tant que personnes ; la réalité de chacun se perd. Ils se rencontrent en tant que fantômes et leur plaisir est aussi un plaisir fantomatique qui, loin de pouvoir satisfaire l'âme, abîme sa capacité d'accueil de la réalité ».

Sa définition de la chasteté est d'autant plus intéressante que, selon lui, une œuvre d'art, un film ou un bouquin – une façon de vivre, même – peuvent également être qualifiés de « chastes » ou de « non chastes ». Sans avoir lu MacMurray, j'en étais arrivée moi-même à une définition similaire. Entretemps, j'ai découvert le goût pour une certaine paix qui m'empêche de tomber dans l'excitation superficielle de New York.

Le *Nouveau Rapport sur la sexualité féminine* de Shere Hite, publié en 1987, était fondé sur des milliers de réponses anonymes à un questionnaire. Voici ce que répondait par exemple une femme au sujet de l'abstinence : « L'intensité qui vous manque permet d'avoir de l'espace une vision plus claire – un dessin au trait de l'iris, comme une peinture saisissante de Van Gogh. » Voilà ce que je veux dire quand je parle de paix. Bien sûr, New York évoque plutôt Jackson Pollock, mais mon iris au trait a trouvé un coin où s'épanouir, légèrement hors saison.

La veille de l'anniversaire de ma dernière nuit d'amour, je suis dans un taxi coincée au milieu des embouteillages avec N. Nous revenons du Queens, cette fois, d'un barbecue avec des vieux copains à lui, en route pour aller boire un dernier verre dans un bar. Le choix pour s'asseoir est hallucinant : fauteuils, cubes en cuir, poires dans lesquelles on s'écrase jusqu'à ce qu'on trouve une position correcte. Et, partout, des petites tables et des canapés dans les recoins. Enfin, cerise sur le gâteau, là, au beau milieu de la pièce, un immense matelas recouvert d'un velours rouge framboise. Nous évitons sagement de le regarder en allant nous installer.

Nos baisers ne sont pas encore évidents. Nous ne savons pas encore ce que nous voulons faire de notre relation, et mon vœu nous offre un champ immense. Je recule et observe N en me demandant si je pourrais regarder son visage sans me lasser. Il ne ressemble en rien à celui que j'aurais imaginé, mais c'est sans doute bon signe. En tout cas, sans mon vœu, je l'aurais déjà rayé de ma liste.

Nous avons tous notre type. Le mien n'est pas très précis, mais j'y ai toujours été fidèle : cheveux sombres, peau basanée, pas trop petit mais pas non plus trop grand. N ne correspond pas à ce type. Il fait très nordique, par son teint mais aussi par sa taille : facile à repérer dans une pièce bondée. Je peux vous le dire parce que c'est quelqu'un dont je recherche la présence, quelqu'un dont je me sens proche. Grâce à mon vœu de chasteté, je lui donne du temps et je nous donne, à nous, de l'espoir. Voilà donc un homme que je n'aurais jamais mis dans mon lit il y a un an, qui a conquis pas à pas mon cœur.

# 14

# *Août ou Ce qu'une femme veut*

> « Nous inspirons et nous expirons toujours au même moment. C'est très intime, mais ce n'est pas le genre d'intimité auquel les gens sont habitués. »
>
> Christie McNally,
> professeur de méditation bouddhiste[1]

« Qu'est-ce que vous voulez ? » Telle est la question qui revient le plus souvent à New York. À chaque pause-déjeuner, on me la pose au-dessus du comptoir de salades chez le traiteur du coin. J'essaie de m'y préparer quand je fais la queue, en me demandant si le mélange thon-tomates-confites-et-petits-pois-frais sera une source d'inspiration ou carrément immangeable. Si j'abandonnais le thon pour la feta ? Ou le tofu, malgré son côté beigeasse et mollasson ?

En vain. Les trois serveurs qui me guettent derrière le

1. Christie McNally vit avec Michael Rooach une union non consommée. En dix ans, ils ne se sont jamais éloignés de plus de cinq cents mètres. Ils mangent dans la même assiette, lisent le même livre en même temps et pratiquent le yoga en respirant à l'unisson. Ils n'ont jamais fait l'amour.

comptoir servent-coupent-hachent à une telle vitesse que je n'ai pas le temps de choisir. Hypnotisée, coincée, j'énumère les ingrédients dont la prononciation prête le moins possible à confusion et qui, Dieu m'en garde, ne risquent pas de ralentir le rythme.

– Poivron rouge, maïs, brocoli et… thon. Merci.

Merde, je n'ai pas été assez claire.

– Haché ?

– Non, attendez…

– Oui m'dame ?

– Je sais !

– Vinaigrette ?

– Celle-là. Ou, non…

Trop tard. Ma purée de thon jaune et rouge est noyée sous une vinaigrette redoutable, soi-disant à partir de citron et d'huile d'olive, mais qui évoque plutôt le vague goût citronné d'un liquide vaisselle.

« Qu'est-ce que vous voulez ? » « Qu'est-ce-que-vous-voulez ? » « Kèskevouvoulé ? » Chaque fois que j'entends cette question j'ai envie de répondre en hurlant : Qu'est-ce que je veux ? Je n'ai pas baisé depuis un an ! Je ne sais plus ce que je veux. Je ne sais même plus ce que ça fait de baiser, mais je ne pense qu'à ça, alors arrêtez de m'emmerder avec ma salade, ma carrière professionnelle ou mes histoires de cœur !

La voix de N a rejoint le chœur de mes interrogateurs. Elle m'implore calmement quand nous nous retrouvons pour faire la tournée de bars climatisés et glacés.

Qu'est-ce que je veux ?

Chez N, la question est d'autant plus claire qu'il ne la formule pas. Comme l'autre jour, quand on était coincés dans un taxi au milieu des embouteillages sur le pont de

Brooklyn, avec la mer des deux côtés et un long ruban jaune se déroulant devant et derrière nous. L'espace entre nous est devenu trop étroit. Sa tête reposait sur mes genoux.

Ou au boulot. Ma rédactrice en chef n'arrête pas de me poser la question, avec de plus en plus de méfiance. Elle ne comprend pas ce que je fiche ici et ça l'agace. Je l'ai observée interviewer des gens et j'avoue que c'est troublant : deux ou trois questions banales en apparence, et la personne interrogée a l'impression que cette redoutable journaliste en sait plus sur elle. « Je me sentais dans une impasse, à Londres, je lui réponds un jour. J'avais besoin de donner un coup de pied dans la fourmilière. » L'expression de son visage prouve que ce n'est pas la bonne réponse, plutôt une non-réponse. J'ai tendance à être d'accord.

L'impression de manque est une réalité contre laquelle je me bats depuis douze mois. Il existe deux types de manque : celui que l'on peut combler et celui que l'on ne peut pas combler, qui a trait à quelque chose de plus persistant, une forme de désir, de besoin d'amour. De ce point de vue-là, je sais ce dont je ne veux pas, mais il me reste à définir ce que je veux. Mais ça, comment y parvenir ? Par l'expérience ? L'erreur ?

Le sexe, devez-vous penser, est un élément dont je ne saurais me passer. « Tu y es presque. Dieu merci, je commençais à me faire du souci pour toi ! » m'a lancé une copine au courant depuis quelques jours. Mes amis sont persuadés que je rêve d'en finir avec ce calvaire, ce qui n'est pas faux. Mais l'ambiguïté demeure. Oui, j'ai envie de baiser, mais pas n'importe comment. À un moment, en avril, quand j'ai revu Jake, je me serais contentée de beaucoup moins, mais la résistance m'a rendue plus forte.

Les règles que je me suis imposées ont renforcé ma capacité de résistance, mais pas dans le sens que vous imaginez. Oh ! c'est vrai, la masturbation permet de soulager une certaine tension, mais finalement ce qui me manque n'a pas grand-chose à voir avec la jouissance. Jouir ou avoir un orgasme seul, c'est aussi frustrant que tous les préliminaires ébouriffants que j'ai connus avec Jake. C'est un piètre substitut de la pénétration. Quand je pense à quel point le mot « pénétration », si clinique, me semblait peu attirant et comique au début ! Depuis, j'en ai crevé d'envie, de façon imprévisible mais répétitive ; c'est un désir tellement puissant que tous les clichés pour le décrire sonnent vrai. Cependant, je rêve d'autre chose, d'une expérience plus pleine, multidimensionnelle. Et plus j'attends, plus ma détermination à attendre s'accroît.

Mon vœu m'a-t-il rendue assez forte pour mettre en pratique ce que j'ai appris ? Je n'en suis pas certaine, c'est pourquoi je ne suis pas loin de regretter de voir les douze mois s'achever. Mon vœu d'abstinence ressemble de moins en moins à une habitude de bonne sœur et de plus en plus à une couverture d'enfant bien rassurante. Un truc auquel j'ai besoin de m'accrocher, une raison pour dire non. « Oh ! je me suis lancée dans une aventure un peu dingue » est plus facile à dire que d'expliquer que vous avez envie de prendre votre temps pour apprendre à connaître l'autre, et vice versa.

Ce vœu expire le 12 août. Sans doute devrais-je évaluer mon succès non pas suivant que j'arrive ou non à tenir jusque-là, mais suivant la façon dont j'évoluerai après. Voilà ce qui sera le vrai test.

Justement, comment vais-je évoluer ? Combien de fois ai-je pensé au jour de la délivrance ! J'ai concentré tant d'énergie sur ce jour-là que c'est devenu un talisman plus qu'une réalité. Mais, depuis un certain temps, je suis anxieuse. Faire l'amour, ce n'est peut-être pas comme le vélo. Si ça s'oubliait ?

Un important courant de pensée de la tradition chrétienne soutient qu'il est impossible d'oublier ce qu'Adam et Ève nous ont enseigné. Est-ce que j'aurai l'impression de perdre ma virginité pour la seconde fois ? L'idée de « revirginisation » revient régulièrement à la mode à cause de stars en mal de reconnaissance, ou de fanatiques religieux *born again*. Récemment, elle a acquis un nouveau poids en vertu du nombre croissant de femmes, essentiellement musulmanes, qui décident de subir une opération de vaginoplastie, faisant de leur nuit de noces un vrai calvaire. J'estime que c'est un retour en arrière dû à de mauvaises raisons.

Loin de revenir en arrière, la chasteté devrait nous permettre de poursuivre dans une nouvelle direction. Certes, le sexe permet une impression unique de fusion avec son corps et avec le monde, mais l'absence de sexe nous relie aussi à notre corps, de façon différente. Au cours de l'année, dans mes périodes calmes – il y en eut beaucoup, même si je me suis peu étendue dessus dans mon livre –, j'ai appris à écouter d'autres émotions en moi : le désir d'une intimité réelle, l'envie d'un lien qui dure au-delà du temps et de l'espace, mais aussi une impression de solitude douloureuse qui n'a rien à voir avec le sexe puisqu'il m'est arrivé de l'éprouver avec un homme endormi à quelques centimètres de moi. Tous ces regrets et ces désirs se manifestent de façon physique et violente, c'est pourquoi j'ai tendance à les confondre avec des pulsions sexuelles. En réalité, m'envoyer en l'air me permettait de les mettre en sourdine. Aujourd'hui, je sais que cela ne faisait que les rendre plus aigus.

En me fermant d'un point de vue physique, je me suis ouverte d'un point de vue psychique. Certes, je ne me suis pas toujours habillée de façon très pudique, mais je suis parvenue à ce confort qui me semblait si nécessaire au début de l'année, un socle à partir duquel je peux me déployer avec plus de confiance que lorsque je m'étalais physiquement « sur la place ».

À certains moments, j'ai eu l'impression de vivre une nouvelle puberté. Ce qui me rappelle une question soulevée par Germaine Greer : « Si une femme ne se laisse jamais aller, comment pourrait-elle savoir jusqu'où elle pourrait aller ? Si elle ne retire jamais ses hauts talons, comment pourrait-elle savoir jusqu'où elle pourrait marcher et à quelle vitesse courir ? » Je continue à courir en talons, ça, ça n'a pas changé, en revanche, je me laisse aller. Je ne me suis pas épilé les jambes ni rasé les aisselles, et, plus profondément, le rapport à mon corps a doucement évolué – comme s'il m'appartenait davantage. D'une façon étrange, complètement inattendue, il me paraît plus… sexy.

J'ai dans ma garde-robe une robe superbe que j'avais achetée pour le mariage de mon amie Victoria. C'est une robe fourreau, dos nu, en satin duchesse jaune d'or. Pas exactement sexy (ce n'était pas à l'ordre du jour puisqu'il s'agissait d'un mariage), néanmoins, il faut avoir pas mal d'assurance pour la porter, sinon, elle a l'air d'un sac.

Je l'avais achetée alors que je vivais ma première liaison avec Jake. J'ai essayé plusieurs fois de la remettre depuis, mais dès que je m'y glisse et jette un œil dans le miroir j'ai justement l'impression de voir une fille vêtue d'un sac. Il y a deux jours, ç'a été le contraire. Je devais retrouver un ami pour aller écouter un opéra chinois. J'avais des doutes sur la qualité de l'opéra, par contre, j'en ai profité pour m'habiller.

Et si j'essayais la fameuse robe ? Avec ce lourd satin, elle tombait parfaitement, provoquant en moi un frisson de plaisir pur. Je me suis regardée dans la glace : parfait, je n'avais rien d'un sac, et heureusement car j'étais en retard. Je n'avais pas eu le temps de me sécher les cheveux, tant pis, j'ai filé jusqu'à l'opéra, ça n'enlevait rien à ma robe sublime. On est à New York, personne ne me jette le moindre regard, du reste, je n'en ai pas besoin : pour la première fois de ma vie sans doute, je n'ai que faire du regard approbateur d'un étranger.

Ce genre de petite victoire me rend de plus en plus méfiante à mesure qu'approche la date d'expiration de mon vœu. Un des arguments de ceux qui sont contre la chasteté, c'est qu'elle met les gens dans un tel état de nervosité qu'ils n'arrivent plus à prendre des décisions. Obnubilés par la question, ils deviennent soumis à une attraction purement animale. Alors, faut-il que je sache ce que je veux avant, si je ne veux pas me jeter dans les bras du premier venu à peine minuit sonné ?

Si vous m'aviez demandé il y a une semaine dans quels bras j'aurais voulu me précipiter, j'aurais répondu les bras de N, esquissant un sourire discret en imaginant quel plaisir j'y trouverais, car je reconnais que j'entretiens des pensées peu chastes à son propos. Comme lui, d'ailleurs, car il me l'a avoué : « Ça te gêne ? » m'a-t-il demandé. Non, ça ne me gêne pas. Au contraire, cela fait partie des plaisirs cachés que nous ratons dans notre hâte de jouisseurs.

Je pense aussi à lui sous des angles plus sages. La semaine dernière, je papotais avec une nouvelle copine, une certaine Jessica. C'est une fille qui écrit des best-sellers de cuisine, qui a un charme fou et une façon de penser très personnelle. À bientôt trente-cinq ans, elle vit seule. « En fait, c'est pire que ça, soupire-t-elle au-dessus d'une tasse de thé et de madeleines faites maison. Il n'y a plus un seul homme dans ma vie sur lequel je m'interroge. Tu vas peut-être trouver ça crade, mais tu vois ce que je veux dire, le genre de mec sur lequel tu fantasmes. » Oui, je connais. Ces types à qui l'on pense en s'endormant tous les soirs. Que ce soit dans un rêve érotique ou dans un contexte plus sage, ils sont chargés de tous nos espoirs.

La sexualité féminine est beaucoup plus insaisissable que celle des hommes. Après avoir été extrêmement sensibilisée à la mienne pendant un an, je peux témoigner qu'elle va et vient de façon mystérieuse. Une femme peut simuler l'orgasme, mais un homme ? Seuls chez celui-ci les signes d'excitation sont vraiment patents. Quand j'y pense, mes souvenirs érotiques les plus marquants ne sont pas liés au sexe en soi, mais au sexe tel que je m'en souviens. Presque comme des souvenirs de souvenirs.

Je vous donne un exemple. C'était il y a cinq ans. Je déjeunais avec un type que j'aimais bien, qui lui aussi m'appréciait, sauf que nos deux attractions ne coïncidaient jamais. Nous étions dans un café bruyant un samedi après-midi, assis devant deux grandes tasses et d'énormes muffins qui tenaient à peine sur la table couverte des journaux du week-end. Soudain, un des suppléments glisse par terre et je me penche pour le ramasser. Au moment où je frôle la surface glacée du magazine, je sens sa main dans le creux de mon dos, entre mon tee-shirt et mon jean. Sa peau contre ma peau, fraîche, pas froide. Un geste beaucoup plus doux et érotique que tous nos baisers volés dans le bus en pleine nuit, ou le jour où je me suis réveillée à côté de lui, accroché à moi – il me serrait tellement fort que c'en était presque désespéré, impersonnel, et je me suis demandé dans quelles zones obscures ses rêves avaient pu l'entraîner.

Chez moi, comme chez nombre de femmes avec qui j'en ai parlé, une grande partie de la vie sexuelle se déroule dans la tête. En 1992, Beverly Whipple, sexologue spécialiste du point G, et Barry Komisaruk, neurologue, ont mesuré les battements du cœur, la dilatation de la pupille, la transpiration et le seuil de souffrance sur des cobayes humains. Ils sont arrivés à la conclusion inouïe selon laquelle certaines femmes sont capables d'avoir un orgasme par la seule pensée. (Des recherches plus récentes, qui tiennent compte de la psychologie évolutionniste, montrent que les femmes ont plus d'orgasmes avec des hommes riches.)

Voilà qui m'amène à vous faire un aveu : N n'est plus le seul homme que j'ai en tête. J'ai beau me sentir à New York comme dans une ville étrangère, je commence à ne plus y vivre comme une touriste. Désormais, je bois mon thé glacé. Je stocke les conseils des ongleries et j'ai des idées très précises sur le chemin le plus court pour aller de l'Upper East Side au West Village. J'ai même aperçu mon premier rat, qui filait à pas menus entre deux bâtiments flambant neufs. Enfin, j'ai été initiée au rituel le plus secret de la ville : le *blind date*, soit un rendez-vous avec un amoureux potentiel organisé par un tiers.

Une de mes collègues un peu plus âgée que moi m'avait donc organisé un rendez-vous avec un de ses cousins. Le type n'a pas quarante ans et il est déjà à la tête de son propre fonds d'investissement. En plus, il achète des œuvres d'art et aime lire, pas des manuels de management, mais des romans, de la poésie, des essais. Comment résister ? Après tout, je suis dans la ville qui a inventé le concept de *date*, alors autant jouer le jeu, vous n'êtes pas d'accord ?

Faut-il ajouter que j'ai tapé son nom sur Google avant d'accepter le rendez-vous ? J'ai découvert plusieurs photos d'un beau visage classique, dégageant une assurance parfaite. Les yeux gris, un sourire généreux, et des cheveux épais, plutôt longs vu le domaine où il travaille, qui suggèrent une envie de tout larguer. Ce jour-là, j'ai choisi une robe avec une jupe ample, une taille Empire et une ceinture large avec un gros nœud – génlal, sauf qu'en passant devant une vitrine j'ai vu que j'avais l'air d'un paquet cadeau géant. Comme d'habitude j'étais en retard et j'ai foncé dans le bar climatisé, soudain nez à nez avec un visage à l'expression identique à la mienne, témoin d'un phénomène rare et précieux : deux personnes qui se retrouvent face à face comme si elles l'avaient choisi.

D'une certaine façon, ce fut un premier rendez-vous parfait. Il m'a proposé un restaurant que j'avais évité jusqu'ici, la branche new-yorkaise du dernier lieu tendance de Londres. J'étais sceptique : trop proche de tout ce que j'essaie de fuir depuis un an, mais son explication m'a convaincue. Il pensait que j'avais un peu le mal du pays.

Le lieu était beaucoup plus petit et chaleureux que l'original à Londres. Nous étions sur le toit, dominant la ville illuminée et scintillant autour de nous. Comme tous les visages parfaits, celui de M. Date avait un léger défaut, une imperceptible cicatrice au-dessus du sourcil gauche qui me fascinait alors que je l'écoutais me parler de ses écrivains et artistes préférés. Très vite, nous sommes tombés d'accord sur un photographe que nous adorons tous les deux. Puis, soudain, ce fut le moment d'y aller – j'ai filé vers le nord de la ville, un baiser sur la joue, et piquée par la curiosité.

Le lendemain matin je reçois un mail sans fautes dans lequel il m'annonce qu'il aurait été ravi de discuter avec moi toute la nuit. On pourrait se revoir lundi ? M. Date m'a joint une seconde invitation – la visite privée d'une galerie d'art au nord de l'État de New York qui ferme bientôt jusqu'au mois de septembre suivant. Le plus séduisant, chez lui, c'est cette confiance absolue en l'avenir.

Nous rêvons tous de confiance dans les rapports humains. Prenez par exemple ce critique œnologue que j'ai rencontré il y a quelques semaines. Précoce et prétentieux dès qu'on parle de vin, il a une vingtaine d'années à peine – juste assez jeune pour que son petit air fanfaron ait un certain charme, trahissant un besoin évident de se protéger. Un soir, je suis avec lui dans un bar, sirotant tranquillement un Dreamy Dorini Smoking Martini, tandis qu'il m'explique sa méthode pour draguer.

– C'est ma règle de trois. Embrasser avant la fin du troisième rendez-vous, coucher avant la fin de la troisième semaine, dire « Je t'aime » avant la fin du troisième mois. Si tu loupes un des trois principes, la relation est foutue, c'est pas la peine de continuer, il vaut mieux te tailler vite fait, bien fait.

Il y a encore peu de temps, j'aurais trouvé ça d'un cynisme éhonté. Sauf que ça cache un besoin de se protéger et de maîtriser, de codifier les choses. C'est aussi en partie pourquoi j'ai décidé de faire abstinence, pour éviter de prendre trop de coups. Ce qui le trahit, lui, c'est le chiffre trois, qui appartient au royaume des fées : les trois petits cochons, les trois ours, faire trois vœux…

Le lendemain, je dois aller dîner chez N. Il ne m'a pas encore montré son appartement, mais mon petit doigt me dit qu'il a autre chose en tête. J'ai envie d'annuler. Je suis en retard question boulot, j'ai un peu la gueule de bois et je ne suis pas sûre de pouvoir descendre *downtown* à cause de la pluie diluvienne qui est tombée toute la nuit. Soudain, le soleil apparaît, et en quelques heures tout redevient normal. Tout, sauf ma tête.

Est-ce à cause de cette vague migraine ? En tout cas, quand N m'ouvre la porte, il me paraît différent. Manifestement, il sort de sa douche, boutonnant une chemise impeccable en m'embrassant, avant de me laisser entrer dans un appartement illuminé par la lumière du soir.

Plus tard, après avoir dîné et longuement tchatché, il met un disque de musique country et nous nous allongeons dans les bras l'un de l'autre en écoutant ces voix de femmes-enfants et d'hommes au timbre superbe chanter des histoires de camions, de notes d'épicerie et de chagrins d'amour.

Jusqu'au moment où il est minuit et où brusquement, nous nous réveillons. N me demande de rester, mais je secoue la tête. Mon année d'abstinence s'achevant dans quelques jours, cette tendresse me semble presque plus menaçante que mes nuits torrides avec Jake. En outre, plus tôt dans la soirée, j'ai repéré sur une étagère la tranche d'un livre avec un seul mot : *Doutes*.

Selon le code amoureux qui sévit à New York, l'exclusivité n'est accordée par une personne à une autre que lorsque toutes deux ont mis les cartes sur table. Or N et moi ne sommes pas allés jusque-là. En outre, M. Date m'a proposé d'aller dîner dans un de ces restaurants de quartier dont les habitants se refilent jalousement l'adresse. C'est un restaurant japonais dont le cérémonial et le décorum attisent la petite flamme que j'ai sentie à l'apéritif. Après le dîner, un dernier verre sur une terrasse en hauteur pour profiter de la brise imperceptible qui rafraîchit vaguement l'air moite et nous transporte jusqu'au petit matin. M. Date me fait des compliments sur les lobes de mes oreilles, ce que je trouve à la fois comique et touchant – c'est la première fois qu'on me fait le coup. Nous nous embrassons dans l'ascenseur.

« J'en rêve depuis le début de la semaine », murmure-t-il à mon oreille. Ravie et un peu groggy – ses yeux gris, sa peau basanée au parfum citronné, son accès à tous les lieux les plus chics de la ville –, j'ai quand même tendance à penser qu'une semaine, ce n'est pas très long.

Au moment où l'horloge sonne minuit et où nous passons au 12 août, fin de ma période d'abstinence, je suis en train de courir pour retrouver Jessica et deux de ses copines. Le temps que j'arrive, elles en sont déjà à parler des hommes. Tout ce que j'ai voulu fuir il y a un an quand j'ai fait mon vœu. Je ne leur en veux pas – les hommes se permettent autant de préjugés et sont aussi exigeants –, mais je n'ai pas envie de devenir comme elles.

Du coup, je renonce à leur parler de mon vœu. Je regrette de ne pas pouvoir lever mon verre avec elles pour fêter la fin de ce long voyage ; en même temps, ce fut une traversée en solitaire. Au début, je pensais que les filles du Groupe, Nina, ma sœur et ma mère joueraient un rôle plus important dans ma vie. En fait, ce vœu m'a isolée. Certes, je ne me suis jamais sentie aussi seule qu'avant, mais je me suis enfermée dans mes pensées comme une religieuse dans sa cellule. Pourvu que la guimpe qui leur couvre la tête ne m'ait pas rendue trop aveugle.

Je me suis un peu égarée, passant de l'introspection à un narcissisme obsessionnel. « Arrête de ne penser qu'à toi », m'a répondu sèchement ma sœur au téléphone il y a quelques jours. Cependant, avant mon vœu, j'étais obnubilée *ad nauseam* par les hommes de ma vie. J'en oubliais d'écouter mes rêves et mes désirs. Et je n'envisageais les hommes qu'en fonction de leur rapport à moi. Le désir féminin comprend des éléments narcissiques, disent les psychologues : les hommes veulent les femmes, et les femmes veulent qu'on les veuille. La sexologue américaine Marta Meana répondait ainsi à un journaliste du *New York Times* en évoquant l'idée d'être « désirée dans l'orgasme ». Et le critique d'art John Berger ne dit pas autre chose dans son essai intitulé *Voir le voir* : « Les hommes regardent les femmes. Les femmes se regardent être regardées. » Si je m'étais libérée de ce prisme, je me serais épargnée bien des liaisons foireuses.

En rentrant peu avant l'aube, ce jour-là, je résiste à la tentation d'appeler N ou d'envoyer un texto à M. Date. Un ciel bleu superbe s'annonce. Inconsciemment, je prends mon Blackberry, sur lequel clignote l'emploi du temps chargé qui m'attend et les dates à ne pas oublier, dont l'anniversaire de Jake. Un an plus tôt, le même signal m'avait décidée à risquer cette entreprise inattendue. Allez, hop, un dernier texto à Jake, et la boucle est bouclée. Soudain, un bip retentit, et je sursaute. Je m'attendais à tout, sauf à une réponse de sa part, surtout pas de ce côté-ci de l'Atlantique. Il est sur la côte ouest, ouf ! mais doit passer par New York avant de rentrer à Londres.

Au cours des derniers mois, j'ai abandonné l'idée de mettre un terme à mon histoire avec lui. Je suis en paix par rapport à tout ce qui s'est passé entre nous. Une histoire de cul, ni plus ni moins. Mais, dans son genre, une très belle histoire ; simplement, elle n'était pas faite pour moi à ce moment-là.

N doit bientôt quitter New York pour une tournée de trois semaines et m'a demandé de l'accompagner. J'ai hésité, mais je reste trop peu de temps à New York, ce serait idiot. En plus, je n'ai pas une mentalité de groupie. Je dois prendre un verre avec lui en fin de journée, et je ne cesse de penser à lui alors que je suis isolée dans un studio de radio, répondant à des appels téléphoniques venus d'outre-Atlantique.

Si d'aventure la question se posait, j'ai décidé de ne pas coucher avec N ce soir. J'ai beau être très tentée, je résiste en sachant que je ne le reverrai pas pendant trois semaines au moins. Qui sait ? il pourrait tomber amoureux en cours de tournée, mais c'est un risque que je suis prête à assumer. Parmi tout ce que cette année m'a apporté, je reconnais que j'ai découvert en moi une certaine résignation.

En repoussant le moment de coucher avec N., je clos cette année par un point aussi net que si je couchais avec lui. C'est le fait de choisir qui compte.

Sur les ondes, les auditeurs appellent plus que d'habitude, pas tant pour parler de livres que pour évoquer l'averse d'étoiles filantes visible d'endroits très différents. Je l'avais complètement oubliée parce que en général elles sont difficiles à voir de Manhattan à cause de la pollution. En écoutant les auditeurs qui essaient de décrire l'effet produit, je murmure le seul mot que personne n'emploie : orgasme.

# *Épilogue*

> « L'amour est la réponse, mais, en attendant la réponse, le sexe soulève de bonnes questions. »
>
> Woody Allen

Je ne vais quand même pas arrêter mon livre ici. Ce serait trop facile, non ? Je vous dois une scène de cul – je *me* dois une scène de cul. Hélas, si ce long voyage m'a montré à quel point j'en savais peu sur moi-même, sa fin m'a montré qu'à certains égards je ne me connaissais que trop bien. Quand je suis face à un choix, je choisis souvent la mauvaise option.

Ce soir-là, après l'émission de radio, je suis passée dire au revoir à N et lui souhaiter une belle tournée. Puis j'ai sauté dans un taxi et je suis rentrée. J'ai ouvert la porte de mon appartement, jeté un œil dans le miroir poussiéreux et failli retourner le retrouver. Quelle fin sublime pour cette année de rigueur, une pluie d'étoiles filantes et tutti quanti ! Mais le miroir me renvoyait aussi à un autre : quid de M. Date ?

Le hasard fait bien les choses, car, peu après, ce dernier m'a invitée à passer le week-end dans sa maison de campagne à Long Island, dans les Hamptons ; il avait organisé une grande fête. Difficile d'imaginer invitation plus flatteuse, pourtant, dès le début ça sentait le roussi. Il m'a rappelée pour me demander de venir vingt-quatre heures plus tôt, mais, quand je lui ai répondu que j'avais un rendez-vous impossible à déplacer et un papier à rendre, j'ai tout de suite perçu un froid au bout du fil. Ensuite, j'ai eu une gastro carabinée qui a duré quarante-huit heures. Le samedi arrive, je suis pâle comme un cachet d'aspirine, épuisée mais mince comme jamais, parfait pour porter un bikini. Au moment même où je quitte mon appartement, il m'appelle, je crois que c'est pour annuler. Pas du tout, il voulait vérifier que j'étais bien en route.

J'arrive et je découvre une personne qui n'a rien à voir avec celle que j'ai vue à Manhattan. La maison est en bois, avec une pelouse impeccable qui paraît presque artificielle. Elle est pleine : de collègues, de clients, de vieux copains de fac. En quelques secondes, une flopée de traiteurs et de fleuristes débarquent. Après le déjeuner, nous allons nous promener sur la plage privée. Nous nous allongeons sur le sable blanc brûlant tandis que le roulement des vagues provoque un étrange phénomène, agrandissant la distance déjà perceptible entre nous.

J'ai l'impression qu'après plusieurs rendez-vous parfaits, trop parfaits, je le déçois. Et plus le week-end avance, plus je me sens mal à l'aise. À chaque fois que nous essayons de discuter, nous nous éloignons. « Tu pourrais vivre ici ? » me demande-t-il en indiquant les dunes ponctuées de maisons en bois peint. J'évoque je ne sais quoi à propos de la magie de cette langue de terre au bout du monde, mais il me répond par un air intrigué et mentionne les problèmes de transport. Était-il déjà aussi sinistre à New York ?

La soirée est chiquissime, les gens habillés, de nouveaux invités arrivent – des créatures minces et élancées et des princes de la blogosphère millionnaires à moins de trente ans, dont les visages lisses trahissent de solides fortunes personnelles. Tout ce fric me paraît fragile, irréel, comme dans une nouvelle de Scott Fitzgerald. Petite touche décadente : un concours de barbecue a lieu. Chacun rivalise pour faire cuire le plus beau morceau de steak possible avec des marinades et des sauces toutes plus extravagantes les unes que les autres. Le tout immortalisé par un photographe pour alimenter les pages de potins de la presse locale dès le lendemain.

Mon sentiment de malaise est à son comble quand il faut distribuer les chambres aux uns et aux autres. Si je lui avais avoué d'où je venais et l'année que je venais de conclure, tout se serait bien passé.

Mais j'en ai été incapable.

Tant de mois et de leçons soi-disant enregistrées, tout ça pour me retrouver au pieu avec un homme qui m'est devenu un total étranger ! Comment en suis-je arrivée là ?

Je peux vous dire qu'il n'y eut pas la moindre averse de météorites sur Long Island cette nuit-là. Comme j'aurais dû m'en douter, elle s'est très mal passée. Oh ! certes, il y eut des secousses, des frottements et des froissements, et, même si monsieur n'avait pas l'air enchanté à l'idée de me déshabiller, j'ai fini par me retrouver entièrement nue. Il y eut aussi des frictions, dans le mauvais sens du terme. « Il faut que tu sois plus concentrée », m'admonesta-t-il. Concentrée ? Comme dans une salle de réunion, genre entreprise multinationale ? C'était peut-être son petit côté pervers. Et si je demandais une pause ? Non, j'ai préféré me remettre au boulot, et très vite j'ai eu l'impression de soumettre une motion de dissolution. C'est tout ce que j'ai senti.

Anthony Lane, critique de cinéma du *New Yorker*, écrivait : « Une des forces du sexe, c'est qu'il est très difficile d'en parler. Aucune activité humaine, même l'amour, ne résiste à ce point-là aux assauts du langage. » Mais de là à penser que le sexe est d'autant plus résistant qu'il se passe mal… Voici donc la triste vérité : l'instant que je m'étais interdit pendant une année fut une déception intense, profonde, indicible. Ma confiance en moi en a pris un coup – j'avais peut-être vraiment oublié comment m'y prendre… En outre, j'étais humiliée. À quoi bon s'astreindre à une année d'abstinence si c'est pour répéter les mêmes erreurs ? Au fond, j'avais oublié comment me mentir à moi-même, et aux autres. Et ni lui ni moi ne fûmes dupes cette nuit-là.

J'avais pourtant essayé d'y mettre du cœur, comme avant, mais mon cœur a refusé le simulacre. C'était donc bien la preuve que j'avais parcouru un sacré chemin. Désormais, j'étais capable de distinguer le vrai du faux, et de ce point de vue-là je ne reviendrais jamais en arrière.

La chasteté est traditionnellement conçue comme un instrument de dépassement de soi, un moyen de se libérer du corps et de l'esprit. Pour moi, au début, ce fut une espèce de trou normand, puis un moyen de recouvrer l'estime de moi-même et de tenir à distance les prétendants. Je voulais aussi reprendre le contrôle de ma propre sexualité.

J'ai senti en moi des changements réels, quoique lents, imperceptibles, mais il aura fallu cette erreur de parcours dans les Hamptons pour que j'en apprécie l'étendue. En dépit de son côté grotesque, l'épisode fut comme un dernier regard jeté dans le miroir : c'était moi, ça ? Non, ce n'était pas celle que j'étais devenue.

En m'insurgeant contre la culture porno qui nous envahit, j'ai trouvé en moi une partie de ce que j'attendais de la part des hommes. Mes relations avec eux sont devenues plus satisfaisantes car j'ai désormais quelque chose à y apporter moi-même. Inversement, seules m'intéressent les relations qui m'apportent quelque chose.

La chasteté réserve beaucoup de bonnes surprises, y compris d'ordre physique. Une fois dépassé le manque, une fois le corps installé dans un style d'hibernation qui lui convient, on apprend à s'habituer aux contours de son désir. S'il existe des femmes qui arrivent à avoir un orgasme par la seule pensée, nous autres, nous pouvons être transportées par un ciel bleu sublime ou une brise parfumée ; il suffit de respirer à pleins poumons en fredonnant pour accompagner son iPod non plus la chanson d'Erma Franklin, mais celle de sa sœur, Aretha *Respect*.

D'une certaine façon, j'ai grandi. La femme de trente ans est aujourd'hui la femme de dix-huit ou vingt et un ans, dit-on, et nous nous inquiétons de voir les jeunes filles soumises à une pression sexuelle de plus en plus tôt. Mais nous oublions un autre phénomène : le corps de la femme tel que la mode nous le vend est un corps de fillette prépubère, dont les hanches sont inexistantes et la minceur digne d'un garçon. Tout, sauf un corps de femme.

Sans vouloir revenir en arrière, j'aurais eu du mal à ne pas baisser le volume des messages contradictoires que l'on nous envoie sur la sexualité féminine. À la télé, des femmes nous vantent les vertus d'injections clitoridiennes de collagène. Dans la vraie vie, d'autres soulèvent leurs jupes devant un chirurgien ou subissent des tests de virginité humiliants, quand ce n'est pas une vaginoplastie. D'un côté, nous vouons aux gémonies les vœux de chasteté de certains adolescents, de l'autre, nous fermons les yeux sur le fait que pour beaucoup de femmes la virginité est une question de vie ou de mort. Et que dire de l'excision ?

L'étude du désir de la femme est un champ fascinant et de plus en plus vaste, même si beaucoup d'experts avouent ne pas savoir si les données dont ils disposent reflètent plus la culture que la nature. Telle Meredith Chivers, professeur de psychologie canadienne, qui répondait au *New York Times* : « Beaucoup de cultures ont un code très strict qui leur permet de contrôler la sexualité féminine. Si celle-ci est réputée plutôt passive, pourquoi faut-il tant de règles pour la maîtriser ? Pourquoi provoque-t-elle une telle peur ? »

Bizarrement, la libération des mœurs est devenue un de ces codes. En dépit de la noblesse du projet originel, elle a donné naissance à une façon de parler de la sexualité féminine avec les pires clichés de la sexualité masculine : prédatrice, sans scrupule et sans cœur.

À la fin de mon année de chasteté, une célèbre féministe américaine m'a demandé si j'étais « pour ou contre » la chasteté. Sur le moment, j'ai été intimidée. C'était pourtant au cours d'un brunch sur une terrasse ensoleillée, un dimanche, mais cette femme me faisait penser à ces gens qui ne prennent pas le temps de réfléchir et préfèrent vous asséner des certitudes sur un ton comminatoire. Ce qui est une partie du problème. Car, personnellement, je suis pour que la chasteté soit une option possible et pour la retirer aux fanatiques religieux ou politiques, qui, eux, sont si violemment pour ou contre. La chasteté est une forme d'expression légitime qui a droit de cité au même titre que les autres.

En réintroduisant l'option chasteté, j'élargis le spectre de ma vie érotique. Il y a quelques années, j'ai entendu quelqu'un parler de « sorbet sexuel » pour désigner un petit coup entre deux liaisons plus longues. L'expression est froide, insipide. En comparaison, je trouve que la littérature pro-chasteté, si sévère en soi, est beaucoup plus attirante.

Qu'est-ce qui est mieux ? Un dessert léger et inconsistant ? Ou « les graves méfaits auxquels nous mènent les méandres de la concupiscence » contre lesquels un manuel du XVIIIe siècle intitulé *Exhortation à la chasteté* (réimprimé plusieurs fois en son temps) mettait en garde ses lecteurs ? « Tâchez d'éteindre la moindre étincelle avant qu'elle n'allume le feu du désir en vous. » Les best-sellers contemporains consacrés à la vie amoureuse ont essentiellement pour but d'apprendre à rallumer ce feu.

Nous avons beau être envahis par le sexe, c'est un sujet qui inspire toujours crainte, tremblement et ignorance. Aujourd'hui, une gamine est capable de faire une pipe ultra-professionnelle, tout en ignorant que la vaccination contre le virus VPH (virus du papillome humain) ne l'empêchera pas d'avoir un cancer de la gorge ou qu'avoir plus de cinq rapports non protégés augmente les risques de plus de 250 %, chiffre à côté duquel la cigarette semble presque bénigne. Ce sont les hommes qui transmettent le virus VPH, mais ce sont les femmes qui se protègent contre – cherchez l'erreur, mais les mecs sont les mecs, c'est ça ? Cela dit, les mœurs contemporaines les ont fait évoluer. Il suffit d'écouter le personnage principal de *Zack et Miri tournent un porno* (2008) se rebeller : « J'étais une putain de mauviette incapable de te dire ce que je pensais de toi et je sais, j'en suis sûr, c'est à cause de toutes ces conneries de merde qu'on s'est jurées comme quoi jamais on ne laisserait le cul changer les relations entre nous, sauf que ça les a changées. En tout cas ça m'a changé, moi. C'est ça qu'on appelle l'amour, non ? C'est sûrement ça. »

Souvent, au cours de mon année de chasteté, j'ai eu l'impression que ce que je découvrais allait à l'encontre de la rhétorique féministe et soulignait une façon très primaire de piéger un partenaire. Alors, aujourd'hui, puis-je encore me déclarer féministe ? Oui, même si je suis désormais consciente que nous avons besoin d'une autre révolution sexuelle qui permette à un nouveau type de sexualité féminine de s'épanouir.

Et que dire de l'amour ? En suis-je plus proche ? En rentrant des Hamptons en bus, brûlée par le soleil, un peu gênée, je contemplais l'océan, sans savoir s'il valait mieux en rire ou en pleurer. L'épisode avait été tellement désagréable qu'il était comique. Pourtant, je ne pouvais me défaire d'un sentiment d'échec épouvantable. À ce moment-là, j'ai reçu un texto de Jake et j'ai éclaté de rire : nouveau test pour nouvel échec ? Ce soir-là, nous avons pris un verre ensemble et je lui ai raconté mon week-end catastrophique, et nous en avons ri ensemble. Ça m'a fait du bien de le voir. Il a dû partir tôt, et ça aussi, ça m'a fait du bien.

Je n'arrête pas de revenir sur ce fiasco ; néanmoins, les choses s'améliorent de jour en jour et je pense que c'est grâce à cette année d'abstinence. J'ai fini par rencontrer quelqu'un. Notre liaison n'a pas duré, même si elle fut plus longue que d'autres, et nous étions tous les deux très impliqués. Puis j'ai eu une autre aventure, qui a tenu six mois. Nous partagions les mêmes idées et nous nous en sommes tenus aux termes de mon année de chasteté, aidés par le fait que lui voyageait souvent à l'étranger. Je suis persuadée que cela a rendu la rupture moins douloureuse et notre relation plus proche. Quant à Jake, je le vois peu mais je pense à lui, parfois avec une bouffée de désir, le plus souvent avec un simple sourire. Il y a peu de temps, j'ai fait de nouvelles rencontres, dont une qui a donné lieu à un flirt délicieux qui avance à un rythme posé irrésistible. J'ai entendu une fois les mots « je t'aime » de la part d'un amant, et je les ai moi-même prononcés une fois – à un autre. Je ne suis donc pas arrivée au bout de mes peines, mais je suis sur la bonne voie.

Autre chose a changé en moi. Ces liaisons ne sont plus le centre ni le drame de ma vie. J'en ai profité pour aller vivre quelques mois à Paris, et récemment j'ai déménagé au bord de la mer, repris contact avec des amis, appris à préparer de parfaits cocktails Manhattan et découvert le jardinage – du moins sur mon balcon.

## Remerciements

Je ne peux pas remercier tous les hommes qui m'ont inspiré ce livre sans leur enlever leurs feuilles de vigne. Malgré le défi qu'ils ont représenté, je n'aurais rien pu faire sans eux. Qu'ils me permettent de leur offrir à chacun un baiser chaste sur la joue.

Parmi ceux que je peux nommer, il y a Elizabeth Sheinkman, qui fut mon ardente supporter avant d'être mon agente. Elle est la championne de cet ouvrage et c'est elle qui m'a chaperonnée avec rigueur au cours des premières phases.

Mon éditrice, chez Chatto and Windus, Clara Farmer, et ses collègues lumineuses (Anna Crone, Juliet Brooke, Lisa Gooding et les autres) m'ont également soutenue avec entrain et une réelle compréhension dès le début. Les conseils avisés de Clara m'ont aidée, de même que ses remarques acérées en marge de ma copie. Hors de la page, elle fut d'une patience pleine de grâce.

Merci aussi, et en toute humilité, à mes collègues du *Daily Mail*, de l'*Observer*, Bloomberg et BBC Five Live, qui m'ont encouragée et se sont montrés indulgents quand l'écriture du livre a croisé mon travail quotidien de rédaction.

Ma mère a été du début jusqu'à la fin l'héroïne de cette entreprise de narration. Ma sœur a été la *cheerleader* principale (m'aiguillant et me taquinant comme seule une sœur peut le faire). Je voudrais aussi remercier ma grand-tante pour ne pas m'avoir posé de questions au cours des derniers mois, comme promis. Et pour m'avoir raconté tant de choses au cours des années.

La carte mémoire dont je parle au chapitre 12 est restée stockée beaucoup plus longtemps que prévu, et une grande partie de ce livre a été écrite alors que j'étais nomade. Au cours de ces mois, ma famille et mes amis ont été d'une générosité sans faille, me prêtant un matelas, un bureau, voire une maison entière. Ma gratitude va en particulier à Gerry Fox, à Londres, et à Heski Bar-Isaac et Owen Sheers à New York. James Linville m'a déniché un super appartement avec vue sur le Moulin-Rouge à Paris.

Merci à vous, mes amis, pour votre enthousiasme, votre humour et vos lectures. Je pense à Gavin Adda, Axel Adida, Anthony Bale, Jonathan Coe, Eithne Farry, Gagan Grewal, Reva Seth, Hellena Taylor et Adam Thirwell.

Enfin, voici les quelques plaisirs qui m'ont permis de tenir récemment et que je recommande à quiconque se retrouve en pleine traversée du désert : pizzas chez Ben's, cocktails chez Claridge's, thé et gâteaux chez Billy's Produce Store, coups de fil tardifs de copains à l'autre bout du monde, taxis noirs, bagues à cinq dollars, et New York, New York.

*Imprimé au Canada*

Dépôt légal : mai 2010
ISBN : 978-2-7499-1225-7
**LAF** 1322